LE BEAU CAPITAINE

Du même auteur :

Le Maillot nº 9, Éditions du Griot, 1991.
La Verrerie, Hatier, 1991.

MÈNIS KOUMANDARÈAS

LE BEAU CAPITAINE

Traduction du grec, préface et notes
par Michel VOLKOVITCH

Ouvrage publié avec le concours
du Centre National du Livre

Éditions du Griot

Titre original : *Ὁ ὡραῖος λοχαγός*,
Kedros, Athènes 1992.

à Lili Koumandarèas

PRÉFACE

Pour présenter Mènis Koumandarèas[1]*, on pourrait citer d'abord les noms de ceux qu'il a traduits naguère : deux Allemands (Hesse, Büchner), un Anglais (L. Carroll), quatre Américains (Faulkner, Fitzgerald, McCullers, Melville). Tous lui ressemblent assez – les trois derniers surtout – pour que ce choix dessine un véritable autoportrait.*

Fitzgerald ? On voit tout de suite pourquoi : on sent partout, chez Koumandarèas, une double fascination pour la jeunesse et la beauté, et la hantise de les perdre. McCullers ? Les personnages et les histoires mélancoliques de Koumandarèas ont un charme fou. C'est la référence à Faulkner ou Melville qui peut surprendre : nous ne sommes pas ici chez un briseur de formes ou un visionnaire ; Koumandarèas apparaît à certains comme

1. Jusqu'à présent, la tradition française a été d'écrire les mots grecs non comme ils se prononcent, mais en suivant l'orthographe originale – d'où des résultats parfois calamiteux.
La graphie adaptée ici, au contraire, considère le grec comme une langue vivante ; elle vise, autant qu'il est possible, à faire entendre les mots.
En grec, tous les « e » se prononcent « è », comme dans « Grèce ». Tous les « o » sont ouverts, comme dans « orthodoxe ». L'accent tonique est marqué ici (faute d'un signe spécial) par un accent grave. Il n'est pas indiqué quand il tombe sur la finale, comme en français.

un romancier « réaliste », usant des formes consacrées pour décrire la réalité de son temps. Et il est vrai que ses deux romans déjà publiés en France, La verrerie et Le maillot numéro 9, racontent sobrement, avec force détails véridiques, l'un la faillite d'un couple de commerçants, l'autre la brève carrière d'un jeune footballeur. Quant au beau Capitaine, publié en 1982, qui montre les coulisses du Conseil d'État et de l'armée, c'est toute une période de l'histoire grecque récente qu'il fait revivre, ces noires années soixante qui mènent, dans un climat politique de plus en plus lourd, à la dictature des Colonels en 1967. L'auteur y est comme toujours un témoin attentif et lucide ; et comme il y pourfend les ennemis de la démocratie – l'armée grecque en l'occurrence, qui en prend pour son grade –, on pourrait également coller à Koumandarèas, dans ce roman du moins, l'étiquette d'écrivain « engagé » – en y ajoutant celle d'auteur « populaire », tant qu'on y est, puisque ses livres ont aussi le tort de plaire à tous les publics.

Il n'y a là rien d'offensant, du moins me semble-t-il. Le seul ennui, c'est qu'une telle image, pas vraiment fausse, passe à côté de l'essentiel. Les livres de Koumandarèas, si ancrés soient-ils dans la réalité de leur temps, sont en même temps étrangement désincarnés – celui-ci surtout, le plus extrême, le plus secret. La réalité nous y atteint de façon indirecte, assourdie, par narrateurs interposés ; les personnages évoluent presque toujours dans des lieux confinés, protégés (bureaux, appartements bourgeois) ; la seule scène mouvementée, une manifestation, est vue – de façon très emblématique – à travers la vitre d'une grosse voiture. Ceci est un roman sur la peur du réel, sur le désir et la peur de vivre ; on y regarde plus qu'on n'agit ; et l'acte vers lequel tout conduit n'aura finalement pas lieu.

Si le monde réel ici nous glisse entre les doigts, c'est aussi qu'il est miné, contaminé par le songe. Et pas seulement par les rêves du narrateur, qui arrivent sans *être annoncés, sournoisement : tout le roman baigne dans une même lumière grise, crépusculaire – à peine trouée, de loin en loin, par les rayons de soleil que sont les apparitions du Capitaine. Les scènes se répètent avec une insistance nauséeuse ; on dirait un de ces longs cauchemars où l'on assiste cloué sur place, impuissant, à la montée de l'horreur.*

L'art de Koumandarèas, c'est justement de maintenir l'équilibre fragile entre deux forces opposées ; de prendre parti en même temps pour *et* contre *le réel. D'être à la fois – dessinant d'une main, effaçant de l'autre – minutieux et flou jusqu'au vertige.*

Si ses personnages nous fascinent à ce point, c'est justement par cette présence fuyante, ce mélange d'épaisseur et de dépouillement ; ce sont en même temps des êtres de chair et des fantômes. Les deux héros de ce livre, le narrateur et le Capitaine, n'ont pas de nom – signe qu'ils se rattachent aussi au domaine de la fable ; le Capitaine, tout en évoluant dans un temps historique parfaitement balisé, appartient également, par son vieillissement accéléré, surnaturel, à une autre durée.

Tout ici, peu à peu, se révèle trouble, incertain, obscur. La couleur grise qui imprègne ces pages, c'est aussi l'absence du noir et blanc des certitudes. Le sentiment qui rapproche les deux héros n'a pas de nom lui non plus. Amitié ? Amour filial ? Amour tout court ? Et cette dévotion du Capitaine pour le Conseiller, en partie inexplicable, s'adresse-t-elle à l'homme ? à la fonction ? Le doute et l'ambiguïté sont partout, comme dans la vie.

Mais en même temps, par-delà la psychologie, Koumandarèas poursuit des obsessions, des réalités plus profondes encore. Le beau Capitaine *est aussi une parabole sur la justice et l'injustice, et sur cette haine mêlée d'amour que suscite parfois l'innocence ; et c'est là que nous voyons passer, outre l'ombre de Kafka, celle de l'immense Melville : le Conseiller d'État et le Capitaine, n'est-ce pas un peu Vere et Billy Budd ?*

On devine quelle virtuosité d'écriture il faut pour nouer tant de fils ensemble. Or Koumandarèas est un maître. Et d'abord, un parfait musicien : non seulement dans l'harmonie des mots et des phrases, mais dans l'architecture de l'ensemble. Ce roman, construit avec la rigueur d'une symphonie, la fluidité d'un opéra wagnérien, est bourré de leitmotive thématiques ou formels (gestes, paroles, scènes entières) qui viennent et reviennent, plus ou moins consciemment perçus, lancinants.

Ce qui m'enchante, c'est que Koumandarèas parvient à l'envoûtement le plus pur, aux émotions, aux interrogations les plus profondes, par des moyens très simples, artisanaux, par l'agencement patient, discret, subtil, de petites touches — le moins de touches possible : avec le minimum de notes, le maximum de résonances. Voilà comment ses livres, simples au premier abord, sans cesse plus riches à la relecture, entrent en nous si facilement pour ne plus cesser d'y grandir.

M.V.

LE BEAU CAPITAINE

À mesure que le temps passe et que mes visites au Conseiller d'État se font rares, il reste une impression de fin de journée d'hiver protégée du froid et de la pluie, dans une pièce pleine de diplômes encadrés, de photographies, de bibelots, de fauteuils de cuir, et un goût âcre de thé au citron. Plutôt qu'un salon athénien, on dirait le cabinet d'archives d'un juge, où s'entassent les histoires d'une carrière passée : hommes, femmes, familles, métiers, des affaires à l'infini qui tourbillonnent dans un ultime rayon de soleil. Elles m'attirent, ces histoires, et elles me terrifient.

Tandis que je vide la première tasse de café, sachant qu'une deuxième suivra, il se tourne vers moi et m'interroge :

« Et ta requête ? »

« Comme toujours, dis-je, en suspens ».

Le regard du vieux se promène entre les cadres accrochés aux murs. « C'est normal, marmonne-t-il, il fallait s'y attendre avec eux. Mais toi, tu insistes ; tu sais ce que tu veux », et il braque les yeux sur moi.

Je ne sais si c'est moi qu'il voit. Depuis qu'on m'a recommandé récemment, au Conseil d'État, ce Conseiller à la retraite et qu'il m'a invité chez lui, son regard tend à se tourner, un peu plus à chaque fois,

3

vers un petit dessin encadré – le seul ornement sur les rayons de sa bibliothèque. C'est le portrait d'un jeune officier au beau visage, vaguement esquissé au fusain.

« Et j'insisterai, dis-je, au moins tant que vous refuserez de me raconter l'histoire promise la première fois. Vous vous souvenez ? »

Il me regarde pour savoir quand était cette première fois.

« Et en quoi cela te servirait-il ? » J'entends sa voix plongée dans la tasse de porcelaine dont il aspire le contenu avec l'avidité du vieillard. « Toutes les affaires qui sont passées par notre Tribunal avaient pour point commun l'injustice qu'elles invoquaient pour s'abriter derrière elle. Mais nos propres décisions – de rejet ou d'approbation, peu importe – ont eu le même dieu commun : la Loi et son application. Toi, tu devrais le savoir, tu es passé par là. Que va donc t'apporter une histoire de plus ? »

Visiblement, il est plein d'orgueil en évoquant le Conseil d'État, qu'il considère comme son propre tribunal.

« Comment ! » J'insiste à mon tour. « C'est cette histoire qui m'a amené à vous rencontrer, et par ailleurs, à ce que j'ai appris, c'est une affaire qui a fait du bruit à l'époque – on en a beaucoup parlé. »

Il grimace.

« Ne crois pas ce qu'on dit. Les affaires qui font du bruit à leur époque, comme tu dis, les époques suivantes les enterrent, ou les dissimulent, comme pour se venger de l'éclat et de l'assurance qu'elles ont eus étant jeunes. La même chose arrive aux êtres humains. Ils se rident et se ratatinent », dit-il durement. « Ce qui m'étonne, c'est qu'on se souvienne encore de lui ! » Et il jette un nouveau coup d'œil au petit portrait.

Je bois une autre gorgée et j'attends.

« Au contraire, poursuit-il au bout d'un moment,

l'affaire dont il est question est passée relativement inaperçue, loin des salles pleines de lumière où nous aimons nous montrer, mais pour laisser un souvenir plus vif et durable que prévu, s'agissant d'une histoire pour nous si secondaire », et il jette un coup d'œil au képi que je tiens posé sur mes genoux.

« Alors, dis-je vivement, raison de plus pour me la raconter. »

« Éternel optimiste... » répond-il d'un ton bourru. « La jeunesse vous a dotés, vous autres, d'un crédit en temps illimité. Jusqu'à quand ? »

« Jusqu'au jour où nous atteindrons votre âge », dis-je, et je fais passer mon képi d'un genou à l'autre.

Il m'observe, puis se tourne à nouveau vers l'esquisse du Capitaine, l'uniforme impeccable, les trois étoiles d'argent, l'insigne sur le képi et la visière ombrageant les yeux. Il la regarde comme s'il allait, d'un moment à l'autre, lui insuffler la vie. Encore un peu et mon homologue, mon frère jumeau, va faire un pas en avant, puis, sortant du cadre, venir s'asseoir dans un fauteuil de cuir identique au mien.

« Très bien, poursuit le vieux d'une voix étonnamment nette, presque juvénile, puisque tu le veux, et c'est cela que tu souhaitais au fond, je vais te raconter l'histoire. Mais attention, je te préviens, ce ne sera pas agréable, et c'est pourquoi je ne t'en ai rien dit jusqu'à présent. C'est l'histoire du beau Capitaine, dit-il, je vais l'appeler ainsi, cela me consolera. »

1

C'était une journée ensoleillée de l'automne mille neuf cent cinquante-neuf. Samedi midi, et dans le couloir qui traversait le deuxième étage du Vieux Palais Royal, avec de part et d'autre les bureaux des Conseillers d'État et les services administratifs, une foule refluait vers la sortie d'un pas qu'accélérait la perspective du samedi soir et du repos dominical tout proche.

Je me dirigeais vers le greffe, quand je remarquai fortuitement un homme jeune, grand et mince, qui semblait suivre à grandes enjambées régulières le même chemin. Je fus frappé par l'assurance qui émanait de sa tenue : élégant uniforme d'officier d'infanterie, képi en position parfaite. J'avais l'impression d'habitude que la foule emplissant le Palais était faite de gens peu sûrs d'eux, plutôt apeurés, et que la sévère apparence des bureaux, aux murs cuirassés de bois, associée à la longueur des couloirs, suffisait à leur couper les ailes.

Mais lui, le Capitaine – à en croire les trois étoiles sur son uniforme – ne semblait pas le moins du monde effrayé, ou même hésitant. Son pas sur les dalles gris sombre du couloir était impétueux, son apparence débordait d'un amour de la vie en son premier éclat. Il devait être âgé de vingt-six, vingt-sept ans au plus, superbement bâti, et malgré le képi qui ombrageait sa figure, je distinguai des traits d'une extrême virilité jointe à une grande fraîcheur. Je me demande encore, à l'heure où je te parle, comment dès le premier regard l'apparence du Capitaine se grava en moi si nettement. Ce fut sans doute à cause du temps. De vifs rayons de soleil venus par les vitres opaques, dans le sens du couloir, touchaient de biais les visages, soulignant leurs beautés – s'ils étaient jeunes – et les condamnant s'il arrivait qu'ils soient d'un certain âge. J'aurais sans doute oublié cet homme, si une dizaine de minutes plus tard, au greffe, nous n'avions pas été penchés ensemble au-dessus du même bureau. Lui du côté du public, moi discutant à l'intérieur avec les employés et dictant des instructions à la secrétaire.

Celle-ci, mademoiselle Tisiphòni ou Persephòni – Phòni, comme on l'appelait pour abréger – était une femme d'âge incertain, ignorant maquillage et mariage, le nez pointu, la poitrine proéminente. Entre nous, en fait, nous lui donnions plutôt le nom de Sénateur, en raison de sa chevelure opulente et neigeuse, dont la teinte d'un blanc plombé rappelait certaines perruques d'époques révolues. Et aussi, peut-être, à cause de sa tendance à traiter rudement les clients de nos services, bien qu'elle ne fût chargée que du registre des entrées.

Je dois t'expliquer que j'étais alors simple maître des requêtes, et je n'avais qu'une voix consultative. Seuls mes aînés et supérieurs, les Conseillers, avaient voix délibérative. Ces derniers daignaient rarement venir jusqu'aux bureaux du greffe et s'abaisser jusqu'au fond de ce gouffre bureaucratique, d'où partait le plus souvent un tourbillon d'affaires. Mettant à profit, sans doute, ma position au milieu de la hiérarchie, mais aussi une curiosité inhérente à mon caractère, j'avais coutume, à midi, quand le travail était moins lourd, de déambuler le long des dossiers archivés, fermés sur trois côtés par des cordons ; contrevenant à l'étiquette, je m'attardais à lire celles des dossiers tout en observant la poitrine de Phòni, qui se gonflait alors plus qu'elle ne l'était déjà par nature.

« Eh bien, mademoiselle Phòni, quel vent souffle-t-il aujourd'hui ? »

C'était une phrase stéréotypée dont je me servais pour engager le dialogue avec le Sénateur et mettre un peu le nez dans son travail, celui qu'elle considérait comme son domaine et où les autres étaient rarement admis à s'introduire.

« Mais comme d'habitude, le même vent, monsieur », répliqua-t-elle d'une voix qui sortait en sifflant de son nez pointu. Elle ne manquait pas de nez, cette femme-là.

Ce jour-là elle paraissait préoccupée, et c'est à peine si elle daigna m'adresser la parole. La raison en était claire : une pile de requêtes sur papier libre où étaient collés les reçus, les timbres, droits d'enregistrement, droits de reproduction, timbre de plaidoirie, sans compter les droits de la Caisse de Prévoyance des avocats, se dressait menaçante dans la corbeille des entrées, arrêtant l'offensive des rayons du soleil venus par la fenêtre.

« Quelle journée splendide, mademoiselle Phòni, lui dis-je avec un sourire, dehors le soleil brille, c'est le temps rêvé pour un week-end à la campagne, voyez-les tous qui s'en vont... »

Et en effet, tout le monde partait, ou s'apprêtait à partir.

Mais mademoiselle Phòni ne se détendait pas pour autant. Tandis qu'elle s'affairait à enregistrer quelques requêtes attardées, l'ombre de notre visiteur, tombant sur le bureau, semblait même troubler sa perpétuelle impassibilité.

« Monsieur l'officier vous adresse la parole », lui dis-je d'un ton conciliant.

Mademoiselle Phòni renâcla. Elle me rappelait ces animaux, l'échine basse, interrompus à l'heure de leur festin, qui grondent en montrant des dents menaçantes.

« Il est deux heures, dit le Sénateur sans lever la tête, monsieur n'a qu'à repasser lundi. »

Un bref désespoir se peignit sur les traits du jeune Capitaine. Ces mots semblaient avoir brisé, provisoirement, tout son élan. Comme il avait enlevé son képi, je distinguai deux yeux gris clair, teintés d'enfance, perplexes, au-dessous de deux sourcils parfaitement dessinés. Son front était d'une blancheur qu'on ne rencontre qu'aux cimes enneigées des montagnes, et son menton, très saillant, soulignait une confiance en soi qui avait quelque chose de triomphant.

Le jeune officier s'apprêtait à parler, pour protester sans doute, et mademoiselle Phòni à contre-attaquer avec toute la morgue d'un employé de bureau, lorsque j'intervins – je ne sais moi-même pourquoi –, prenant soudain le parti du Capitaine.

« Deux heures moins le quart, la repris-je, l'air de dire : vous pouvez recevoir la requête de monsieur. »

Le Sénateur leva les yeux vers moi, puis se tourna vers le visiteur.

J'aurais dû avoir un peintre avec moi pour immortaliser son expression, ou du moins, à défaut, un photographe. Alors que les sourcils, épilés à la perfection, se fronçaient, et que sur le front immaculé de la vieille fille se formait un océan de rides, soudain les sourcils se déplissèrent, le front s'éclaircit.

« C'est bon, puisque monsieur le Maître des Requêtes le souhaite », dit-elle, assez troublée, et elle tendit le bras pour prendre de la main de l'officier la requête qui attendait en suspens.

J'ai pensé par la suite que si le Sénateur avait finalement refusé d'accepter ce document, le jeune Capitaine serait peut-être, qui sait, reparti bredouille, et qu'à la réflexion – je dis bien peut-être – il aurait remis au surlendemain, ou à plus tard encore, et qu'à force de remettre il aurait fini par renoncer à sa requête. Ce qui, sûrement, l'aurait sauvé.

Il ne s'était pas écoulé trois minutes, quand au milieu d'un silence que venait seulement troubler le froissement des papiers, après avoir reçu la requête et au moment de la classer, elle se remit à marmonner.

« Il manque les droits d'enregistrement. »

Elle avait trouvé le prétexte.

9

« Mais, madame... » J'entendais pour la première fois le Capitaine lui adresser la parole. Sa voix était aussi pleine de jeunesse et de vigueur que son apparence, un peu plus chantante peut-être qu'il eût convenu pour un officier, et avec une dose d'insouciance, qui elle aussi convenait peu à l'uniforme.

« Mademoiselle », corrigea la vieille fille, et elle reprit l'air inflexible auquel nous étions accoutumés.

Je jugeai bon d'intervenir.

« La caisse est ouverte, le Capitaine peut payer ses droits, deux minutes suffisent. »

Je faisais exprès de m'attarder, comme si quelque chose dans l'attitude de cette femme m'avait irrité.

Mademoiselle Phòni fixa brièvement les yeux sur le militaire, derrière la cloison isolant son bureau. Quelque chose dans son expression dut la décontenancer de nouveau. Il émanait de ce visage une telle force de conviction, un tel élan, et aussi tant d'innocence, qu'il pouvait faire plier un tel roc, ouvrir des brèches dans des citadelles imprenables – des citadelles comme notre Sénateur.

« Eh bien, qu'il aille », concéda-t-elle en affectant l'indifférence.

Et tandis que le Capitaine, avec un large sourire satisfait, se dirigeait déjà vers la porte, son képi sous le bras et sa main libre balançant une serviette, je vis son regard à elle qui le suivait.

Enfin ses yeux se détachèrent de lui et, l'air vaguement coupable, s'élevèrent jusqu'à moi. « Ai-je bien fait ? » semblaient-ils demander. « On ne peut mieux », répondis-je de même. Mais au lieu de nous regarder, j'eus soudain l'impression que nous avions tous deux dans les yeux l'image du Capitaine. Comme si cet homme-là avait jeté son ombre sur nous – une ombre lourde qui désormais ne s'en irait pas sans mal.

Je toussai légèrement pour briser le silence, tandis

que mademoiselle Phòni, d'un regard machinal, parcourait le contenu de la requête.

« De quoi s'agit-il ? » demandai-je pour ne pas rester muet.

« Oh, rien d'important, monsieur, dit-elle de sa voix nasillarde. Une affaire d'avancement refusé, si j'ai bien lu. »

« Ah bon, fis-je, prêtant l'oreille à un écho de gazouillis d'oiseaux venant du jardin tout proche. Eh bien je vous laisse, lui dis-je aussitôt. Arrangez l'affaire du beau Capitaine, et ensuite, comme nous l'avons dit, en avant, sac au dos et bonne route ! Je vous salue », et mettant mon chapeau je me hâtai vers la porte.

Je devais avoir traversé le long couloir et descendu l'escalier pour sortir dans l'avenue de la Reine-Sophie, quand soudain, comme atteint par un écho, j'entendis en moi mes propres paroles : « Arrangez l'affaire du beau Capitaine. »

Car sans m'en rendre compte, j'avais déjà donné nom et qualificatif au personnage anonyme qui allait si longtemps nous occuper.

2

Je fus des semaines et des mois sans revoir le Capitaine.

Absorbé par les affaires courantes, je n'avais même pas pensé à m'informer du succès de sa requête. Pendant ce temps, dans les couloirs et les bureaux, les discussions avec les collègues allaient bon train. Nous étions, si ma mémoire est bonne, en février soixante, en pleine grève des journaux, et les nouvelles se transmettaient avant tout de bouche à oreille. Procès de dirigeants du PC, accusations des Soviétiques, et un peu plus tard une nouvelle alarmante : un coup d'État militaire avait éclaté en Turquie.

C'était une lumineuse journée d'hiver, qui plongeait le bâtiment dans une douce tiédeur.

« Voilà les militaires qui relèvent la tête, me dit dans l'entrée, quand nous nous fûmes salués, le Conseiller A., hochant comme à l'accoutumée sa tête blanchie. Et toi, qu'en penses-tu ? »

« Mon pauvre ami, répondis-je en levant les bras au ciel, les questions militaires, je t'assure que je n'y connais rien ! »

Et chacun de nous partit rejoindre son bureau.

J'avais à peine fait quelques pas, quand j'aperçus l'officier. Il faisait les cent pas dans le couloir. Lui aussi me vit et j'eus l'impression qu'il voulait me parler. Une foule en désordre, huissiers et visiteurs, nous séparait, rendant le passage difficile. Mais lui, par une habile manœuvre, me rejoignit en quelques secondes, salua militairement et se planta près de moi au garde-à-vous.

J'avais appris les années précédentes, amèrement, combien ceux qui ont recours au Conseil d'État se font pressants, de vraies sangsues, demandant sans cesse des nouvelles de leur affaire, partant de l'échelon inférieur des huissiers pour aboutir à l'échelon suprême des conseillers, et je considérais cet homme avec une juste méfiance. Et puis comment aurais-je pu, moi, simple maître des requêtes, savoir à quel stade son affaire se trouvait ?

« Bonjour, lui dis-je, je suis heureux de vous voir, où en est votre affaire ? », me hâtant ainsi de devancer sa propre question.

Une rougeur légère teignit sa peau blanche, et

l'expression vive et volontaire de ses yeux perdit un instant sa fermeté.

Il me considérait à l'évidence avec un respect, une timidité juvéniles, fort opposés à l'assurance et la fougue de son allure.

« Je suis sans nouvelles, dit-il avec difficulté, peut-être en savez-vous plus que moi ? »

Je le jaugeai du regard et cet examen, qui ne dura qu'une seconde, s'avéra positif.

« Venez avec moi », lui dis-je. Au lieu de me diriger vers mon bureau, je changeai soudain de cap, et nous nous retrouvâmes tous deux marchant vers le greffe.

La plupart des gens autour de nous circulaient en cravate, et d'autres en chandail et col ouvert. Je n'étais pas favorable à la licence dans l'habillement, sans pour autant condamner l'initiative de ceux qui cherchaient ainsi, peut-être, à s'affranchir des conventions. Mon propre geste, pensais-je, cette façon d'accompagner cet homme dans des démarches qu'il aurait dû faire seul, était une forme de licence vis-à-vis de la bureau-cratie. Ce qui, en fin de compte, s'accordait au carac-tère traditionnellement démocratique du Conseil d'État, dont la fonction, je te le rappelle, est de soumettre les actes de l'Exécutif au contrôle judiciaire d'un troisième pouvoir indépendant.

« Voici le bureau du greffe, lui dis-je, comme pour lui rappeler le lieu de notre première rencontre. C'est là que vous apprendrez l'ordre de passage de votre affaire, la section du Conseil à qui elle a été soumise, et peut-être le nom du rapporteur qui en est chargé. »

Et je lui expliquai, succinctement, le déroulement de la procédure.

Le jeune officier m'écoutait plein d'attention, les yeux braqués droit sur moi, à tel point qu'un instant je dus baisser les miens. Il émanait de son regard un rayonnement singulier, mélange d'innocence juvénile et de confiance en soi, qui aurait pu éventuellement passer pour de la morgue.

Je m'apprêtais à prendre congé de lui, le laissant dans les bras de notre Sénateur qui sous sa perruque grise, avec son nez pointu – tel un oiseau exotique – guettait au fond du bureau, lorsque l'officier, touchant la manche de mon veston, me dit à voix basse :

« Il vaudrait peut-être mieux que vous veniez avec moi. »

Le ton de sa voix était si chaud, si convaincant que, m'ouvrant un chemin dans le dédale du greffe, je le laissai me suivre.

« Ici, lui dis-je, me penchant au-dessus du Sénateur, mademoiselle Phòni va nous renseigner. Avez-vous apporté votre numéro d'enregistrement ? »

Je m'attendais à ce que le jeune homme se mette à fouiller ses poches avant d'en tirer un papier tout froissé où il lirait malaisément les chiffres. Eh bien non. Lui, au contraire, donna le numéro de mémoire, d'une voix claire, tirant le Sénateur de son imposante léthargie. L'un des gratte-papier était resté le tampon en l'air, un autre l'observait tristement derrière ses dossiers. Tous étaient là, bouche bée, à le regarder.

« Eh bien, mademoiselle Phòni, dis-je avec un rien d'impatience, comme vous le voyez, monsieur attend... »

Elle me jeta un regard en biais. C'était la deuxième fois que j'intervenais dans ses affaires, à propos de la même personne. Mais elle n'osa pas faire la moindre objection. Avec une rare dextérité, elle feuilleta son registre, sortit le dossier, défit les cordons et en tira comme par magie la copie de la requête du Capitaine.

« L'original est déjà parti vers sa destination », me dit-elle, les lèvres serrées, ignorant obstinément le Capitaine.

« Puis-je regarder ? » et je lui pris des mains, en douceur, la copie.

Elle se pencha de nouveau sur son bureau, et tandis que le Capitaine et moi devisions à voix basse, elle garda les yeux obstinément fixés sur ses papiers. Du coin de l'œil seulement – je le sentais sans le voir – elle inspectait le Capitaine de la tête aux pieds.

J'avais vu entrer beaucoup de militaires dans nos bureaux et tous, des plus jeunes et bien bâtis aux vieux bedonnants, étaient tirés à quatre épingles. Ils avaient tous la même raideur professionnelle. Mais ce Capitaine-là, loin d'être l'exception à la règle, en rajoutait encore. Ce n'était pas tant le pli impeccable du pantalon, les souliers sombres vernis, la cravate kaki au nœud triangulaire, l'insigne trônant sur son képi ou les étoiles d'argent étincelantes sur les épaulettes, ni même les deux pinces dans son dos qui soulignaient le triangle du torse. Le plus grand tailleur lui-même n'aurait pu atteindre ce résultat, si un tel modèle avait refusé de porter son œuvre. C'était la grâce, en même temps que la confiance en soi, venues du plus profond de lui-même, de la jeunesse de son âme peut-être, qui donnaient la beauté à son uniforme et le faisaient en fin de compte exister.

Après avoir jeté un bref coup d'œil à sa requête, et entendu ses quelques explications, je lui tapotai l'épaule d'un air protecteur, comme on le fait à un enfant plus vif et charmant que les autres, en lui promettant que son affaire serait examinée avec justice.

Il me regarda de ses yeux brillants, dans lesquels, à ce moment-là, je ne distinguai rien que de la reconnaissance.

Tant mieux, me dis-je ; ce jeune homme, en plus de ses autres qualités, est poli et discret. Mais pourquoi le Conseil Militaire a-t-il refusé son avancement ?

L'appréciation portée sur l'acte officiel était la suivante : « Insuffisamment discipliné, enclin à la discussion », ce qui au fond ne voulait rien dire – pour s'adresser à nous, cet homme devait avoir de solides raisons.

Je le raccompagnai jusqu'à la porte du greffe et le regardai s'éloigner dans le couloir.

Parmi la foule de ceux qui allaient et venaient, les uns soucieux dans des habits froissés, les autres simplement bien vêtus, il marchait vers la sortie d'un air qu'on voit seulement aux soldats qui défilent, rayonnant d'un optimisme qui balayait les problèmes devant lui.

« Eh bien, me dis-je, ce jeune homme ira loin ! »

Cependant, comme je rebroussais chemin pour déposer l'acte entre les mains du Sénateur, je rencontrai son regard.

Elle avait délaissé son travail et suivi, semble-t-il, tous mes conciliabules avec le Capitaine. Il y avait dans son regard une sorte de méchanceté cachée. J'en fus un peu refroidi.

« Tenez, lui dis-je en lui rendant le document, remettez-le à sa place, et s'il vous plaît, (je ne sais ce qui me prit de le lui dire), préparez-moi une copie supplémentaire pour mon usage personnel. »

Le Sénateur glissa le papier dans le dossier et se mit à nouer les cordons avec application. De temps à autre elle me jetait un regard.

J'attendais, debout, qu'elle eût fini.

« Une affaire banale, sans aucun doute », me dit-elle enfin, manipulant les ficelles du dossier avec une dextérité surprenante. Il y avait, dans le ton de sa voix, quelque chose de contraire aux usages du lieu. J'en fus gêné.

« Veillez, je vous prie, mademoiselle Phòni, à ce que

16

ce dossier soit traité au plus vite » – ce qui revenait à dire que tout le reste pouvait attendre.

Elle avait la réponse toute prête.

« Je n'y manquerai pas, monsieur, bien entendu. » Et comme je m'apprêtais à passer la porte : « Puisqu'il s'agit de l'affaire du beau Capitaine ! »

Je restai un instant à la regarder, me disant qu'à l'avenir il serait difficile d'évoquer cette affaire sans associer au requérant cette épithète.

Je partis sans plus tarder, la laissant remuer ses paperasses.

À peine quelques jours plus tard, un huissier frappa à la porte de mon bureau. C'était un jeune homme gras et imberbe, aux gestes efféminés, que nous appelions le Chameau, sans doute à cause de la façon dont il parcourait les couloirs, en galopant lourdement comme cet animal. J'avais allumé la première cigarette de la journée, et rêvais devant ma fenêtre donnant sur le Jardin Royal – qu'on appelle aujourd'hui National.

« Entrez », dis-je.

« Belle journée, monsieur », dit-il de sa voix voluptueuse, et il s'avança mollement vers moi, tenant une pile de dossiers.

« En effet, répondis-je distraitement. Posez ça là », et je lui montrai un endroit sur le bureau.

Il se plia en deux pour poser les papiers, mais ne semblait pas vouloir partir. Il me regardait, l'air de dire : « N'est-ce pas un crime de rester dedans par un temps pareil ? »

« C'est bon, merci », dis-je, lui laissant entendre que la prolongation de sa présence ne contribuait en rien au plaisir de la cigarette matinale.

« Bien, monsieur », et reculant onduleusement, il sortit avec lenteur en laissant la porte entrouverte.

« La porte », lui criai-je de loin.

J'éteignis ma cigarette et pris au hasard, dans le tas de papiers, le premier dossier.

J'avais commencé de le lire, quand le nom du requérant me fit une impression bizarre. Comme s'il ne m'était pas totalement inconnu, comme s'il s'agissait d'un ancien ami, d'une connaissance ou de quelqu'un dont j'avais entendu parler. Curieux, je poursuivis ma lecture, quand au bout d'un moment je me rendis compte qu'il s'agissait de l'affaire d'un officier. Machinalement, je revins en arrière pour voir le nom. Il n'y avait pas le moindre doute. C'était la requête du Capitaine.

Je restai quelques secondes en suspens, le document entre les mains. « Quelle coïncidence », me dis-je, et aussitôt mon esprit s'envola vers l'officier. Je me rappelai son visage, son allure. Il était de ces gens qui ne se laissent pas facilement oublier. « Quelle histoire, s'il le savait », et je tentai de me représenter sa réaction. « Évidemment, pensai-je, ignorant de nos systèmes et enthousiaste comme il est, il a dû s'imaginer que j'ai cherché à me faire confier son affaire – c'est idiot... » et aussitôt je me mis au travail.

Par la fenêtre du jardin, des gazouillis exubérants venaient m'assiéger.

Dès lors, le matin au bureau, mais souvent aussi le soir chez moi, entre deux autres affaires, j'étudiais le dossier du Capitaine. Je tentais de comprendre pour quelles raisons l'autorité militaire avait refusé son avancement, et je me creusais la cervelle. Quelque chose dans cet « insuffisamment discipliné » me laissait insuffisamment convaincu. Quant à cette « tendance à la discussion », là non plus je ne comprenais pas. Nous avons tous tendance à discuter. Cela fait partie du rôle que nous jouons en tant qu'êtres sociaux. Je ne voyais pas en quoi cela pouvait desservir le Capitaine. Tels étaient les doutes que suscitait en moi le dossier. Je prévoyais d'écrire à son unité pour demander un supplément d'information, quand quelques jours plus tard à peine, je reçus sa visite à mon bureau.

Comment avait-il fait pour savoir que j'étais nommé rapporteur de son affaire ? Mystère. Quoi qu'il en soit, il était là debout devant mon bureau, et me souriait, triomphant. Il semblait dire : « Je le savais depuis le premier instant, j'en étais sûr », me regardant de ses yeux désarmants, pleins de lumière – un peu comme toi maintenant.

3

Les bureaux des conseillers, comme presque toutes les salles de notre étage dans le bâtiment du Vieux Palais, étaient lambrissés à hauteur d'homme, et qui plus est, en chêne – au lieu de ces imitations qui sous le nom de boiseries cachent des horreurs à base de contreplaqué. Ayant moi-même grandi dans une vieille maison, j'étais accoutumé aux consoles en bois sculpté, aux buffets à colonnes qui soutenaient des plafonniers, tandis que dans ma chambre la nuit j'entendais le ver dans le bois qui rongeait, creusant jusqu'au fond de mon âme. Je me sentais en totale harmonie avec les choses anciennes, ayant par nature une aversion pour tout ce qui est trop neuf et bon marché. Tandis que lui, le Capitaine, je ne savais même pas où il avait grandi, sans doute dans l'ignorance des vieilles maisons où trônait le buffet de la grand-mère.

Pourtant, dès qu'il fut assis devant moi, dans son uniforme impeccable, le Capitaine montra la même aisance que s'il était né au Conseil d'État. Ce lieu lui allait comme un gant. Curieux comme je suis, je l'interrogeai sur ses origines. Il me dit qu'il venait d'une bourgade en Locride, qu'il avait quittée très jeune pour Athènes afin de faire des études.

« Et comment êtes-vous devenu militaire ? » demandai-je.

« Depuis longtemps, commença-t-il, dans la famille du côté de ma mère, il y a des gens qui après leur service sont restés dans l'armée. Aucun n'avait fait l'École militaire, bien sûr. Dès mon enfance, en tout cas, j'ai eu l'habitude de voir chez moi des gens en uniforme et d'entendre des histoires de caserne. Ces gens-là, bien que soumis à une discipline, me semblaient jouir d'un prestige et d'une liberté plus grands et me donnaient toujours l'impression de se comporter comme les héros des livres. Nous avions chez nous, naturellement, les livres de Penelòpi Dèlta[1], *Pour la Patrie*, *Au temps du Bulgarochtone*, et quoi qu'on dise, eux aussi ont dû m'influencer. »

Il parlait avec aisance, me regardant droit dans les yeux, avec cette désarmante sincérité propre à son regard.

« Ce qui a joué, poursuivit-il, c'est aussi que je trouvais le métier de mon père – agronome – peu rentable aujourd'hui. Quant au droit, pour lequel, je crois, j'avais une attirance – et son regard à cet instant parcourut une rangée de volumes dans ma bibliothèque –, je n'ai pas été assez soutenu par ma famille. »

Je jetai moi aussi, machinalement, un coup d'œil à mes livres, et me rappelai que mon rêve de jeunesse était d'écrire des vers. Chose que je fais encore, je dois te l'avouer, quelquefois, sans être poète bien sûr. Mais

---

1. Penelòpi Dèlta (1874-1941), auteur pour enfants très populaire en son temps, dont les livres d'inspiration patriotique sont encore lus aujourd'hui.

le visage du Capitaine, malgré son attirance pour le droit, était un poème, de ceux que la nature offre provisoirement à l'homme et que lui, sans y penser, promenait dans les casernes.

« Ainsi donc, votre carrière est l'œuvre du hasard ? » demandai-je.

« Pas vraiment, répliqua-t-il aussitôt fièrement, d'un ton sec, j'ai évalué la situation, et voyant qu'il me fallait survivre dans une famille de cinq enfants, j'ai écouté les conseils de mes amis dont certains étaient entrés dans la police et d'autres à l'École de l'Air, et j'ai décidé de passer l'examen de l'École de l'Armée de Terre. »

« Tous vos amis portent donc l'uniforme ? » demandai-je, étonné, mais aussi avec une dose d'ironie que je ne pus contenir.

Il me regarda comme un élève qui tâche de deviner le sens des paroles du professeur pour répondre en conséquence.

« La plupart, dit-il. Vous savez, pour un jeune provincial qui arrive à Athènes, il est dur de trouver son chemin. D'ailleurs il n'y a pas tellement le choix. On va quelque part et on arrive ailleurs. »

J'approuvai en hochant la tête. C'était la vérité. Le ton de sa voix, en outre, me parut pour la première fois mélancolique. Ce dont lui-même ne semblait pas avoir conscience.

« Et du train où vont les choses, lui dis-je, plus la province continuera de monter à Athènes, plus ce sera dur pour les jeunes de faire carrière. Mais pour nous aussi c'est dur de vous ouvrir un chemin. »

Il me regarda de ses yeux clairs sans expression, comme si cette remarque générale ne le concernait pas, lui-même ayant fait le saut décisif en choisissant une carrière.

« Mais venons-en au fait, lui dis-je, car je nous

voyais partir dans des palabres sans fin, parlons de votre affaire. »

« Mon affaire, oui, bien sûr », redit-il après moi, et comme s'il s'éveillait d'un rêve il se redressa dans son fauteuil, déplaçant son képi d'un genou à l'autre.

« Depuis combien de temps êtes-vous dans l'armée ? »

« Je suis sorti de l'École en 1948. J'ai servi un an comme sous-lieutenant, en 1949 j'étais lieutenant et en 1952 capitaine. L'an dernier j'ai été promouvable au grade de commandant et j'aurais déjà dû recevoir ma promotion. »

« Mais n'êtes-vous pas promus en deux ans ? » demandai-je.

« Normalement deux ou trois ans sont nécessaires pour les premiers grades, et six ou sept ans pour devenir capitaine, répondit-il, mais il y a eu des époques exceptionnelles où l'on sautait d'un grade à l'autre en un an, parfois moins. C'est ainsi que j'ai été sous-lieutenant un an, et mes études à l'École, de même, n'ont duré qu'une année. »

« Très bien, dis-je, comme s'il venait de me réciter un poème. J'ai vu votre feuille de notes et l'ai étudiée attentivement. Je n'y vois rien de répréhensible, en tous cas rien de précis qui puisse empêcher votre promotion. »

Je tirai un papier de son dossier que j'avais devant moi, et chaussant mes lunettes, je lus tout haut :

« Instruit, courageux, honnête. Se distingue par son extrême attachement aux règles de la vie militaire. »

« Extrême partout, lui dis-je par plaisanterie, jusque dans la discipline ! »

Il me contempla, l'air sérieux.

« C'est là le discours officiel, dit-il, mais il en circule d'autres », et sortant de sa poche intérieure un formulaire plié avec soin, il me le montra.

Cela était intitulé « Notes Afférentes au Trimestre Écoulé » et se divisait, à ce que je pus voir, en rubriques : « Aptitudes et Qualités de l'Officier », « Impression Générale quant à l'Officier », « Opinion du Supérieur Hiérarchique », « Notes Complémentaires », « Notes Afférentes au Présent Trimestre ».

Chacune des rubriques se divisait en divers paragraphes concernant les « Qualités Morales et Psychiques », la « Valeur Professionnelle », les « Aptitudes Administratives », la « Santé et Résistance Physique », et bien d'autres. Il y avait encore des questions du genre : « Est-il fidèle au pouvoir légal ? » « Est-il bavard ? » « Est-il excessif dans ses propos ? »

Si je m'en souviens aussi nettement, c'est que je fus frappé d'une telle minutie, d'une telle naïveté. Je ne sais pas où en sont les choses aujourd'hui – toi, tu le sais sûrement – mais pour remplir de tels papiers, il fallait, j'imagine, passer longuement l'intéressé au crible, comme en ces tamis successifs de l'ancien temps qui séparaient le bon grain des parasites.

J'étais plongé dans ce verbiage sans fin, quand il se pencha et m'indiqua du doigt une note incluse dans les « Notes Complémentaires ».

« Enclin à des discussions incompatibles avec la condition militaire ; réunions occultes ; affectivement instable. »

Suivaient quelques remarques du même genre, dont je ne me souviens plus.

« Mais dites-moi, les promotions ne se font-elles pas sur la base de la feuille de notes ? Ce papier-là », et j'agitai devant lui la feuille que je tenais en main, « quel rôle joue-t-il ? »

« On tient compte de tout, dit-il, et surtout des documents secrets – appelons-les ainsi ».

« Et celui-ci est secret ? »

Il me regarda avant de répondre.

« Dans un sens. Vous devez vous demander comment il est venu entre mes mains. »

« Bon, bon, lui dis-je avec un peu d'impatience, n'entrons pas dans ces détails. Mais dites-moi, je vous prie, vous avez des discussions, vraiment ? Des discussions de quel genre ? »

Il posa sur moi ce regard qui reflétait le soleil du matin.

« Étant citoyen grec, moi aussi, je discute de ce qui concerne tout habitant de ce pays, civil ou militaire. Je veille seulement à limiter ces discussions à un cercle étroit de collègues. »

« Et vous êtes certain, dis-je, que vos collègues sont tous des personnes de confiance ? »

Il se redressa fièrement.

« Ce sont des garçons qui ont fait l'École avec moi et nous poursuivons notre carrière ensemble. »

Et il se mit à énumérer des noms.

Je l'interrompis d'un geste.

« Mais vous ne m'avez pas dit de quoi exactement vous discutez, dis-je avec un léger sourire comme pour l'apaiser, de politique peut-être ? »

Il fronça les sourcils. Un bref nuage passa devant ses yeux, puis se dissipa, laissant le soleil de l'optimisme l'inonder.

« Nous discutons de sujets d'intérêt général. Je pense que tout ce qui dépasse les limites de la politique au sens étroit – du moins telle que l'entendent les journaux – peut et doit intéresser un officier. »

Sa voix, pourtant ferme, sonnait faux.

Je posai mes lunettes de lecture que j'avais oubliées sur mon nez et le contemplai un instant sans un mot.

« Vous avez raison. Tout à fait raison. Mais n'est-ce pas ce genre d'intérêts qui vous rend "indiscipliné" aux yeux de vos supérieurs, pour me borner à l'appréciation du Conseil qui vous a jugé non proposable ? »

Il me regarda de l'air surpris d'un enfant qu'on accuse de passer trop de temps à jouer.

« Mais qui n'a pas d'intérêts dans sa vie, surtout quand il est jeune ? Ceux qui soutiennent le contraire sont vieux avant l'âge, ou alors... »

« ... Ou alors ils ont d'autres intérêts », dis-je impulsivement.

Il me jeta un long regard plein d'intelligence.

« Vous voulez dire, remarqua-t-il, qu'il existe chez les supérieurs une tendance à se défier de leurs cadets. »

Je ne savais pas précisément moi non plus ce que je voulais dire. Je le laissai compléter ma pensée.

« Car ces gens-là, poursuivit-il en élevant la voix, pensent être passés par mille épreuves, alors que nous autres sommes encore tendres et sans expérience. Ils nous jugent ignorants. »

Il avait encore changé son képi de côté.

« Mais c'est normal, dis-je, c'est ce qui se passe plus ou moins partout, pas seulement dans l'armée. Et n'oubliez pas, insistai-je, les personnes que vous évoquez ont traversé une guerre d'un genre particulier » – je ne l'appelai pas guerre civile, l'expression n'étant pas encore consacrée, mais j'évitai le terme officiel de « Guerre des Brigands » – « qui, si nous rajoutons l'Occupation, a duré une dizaine d'années. Mais vous vous êtes trouvé aussi, peut-être, en première ligne. Si je ne me trompe pas, la classe 48, la vôtre, a pris part aux opérations. »

« C'est vrai, dit-il, certains de mes collègues ont combattu sur les monts Gràmmos et Vitsi. Quant à moi, une maladie m'a retenu à l'arrière. »

Il s'était soudain rembruni.

J'évitai de l'interroger sur la nature de son mal.

« Êtes-vous en parfaite santé maintenant ? »

Il me regarda droit dans les yeux. Son visage

rayonnait de nouveau. Cet éclat, pensai-je, ne peut qu'être un signe de bonne santé.

« Ces gens-là, poursuivit-il, éludant ma question, ceux qui ont fait la guerre, ceux-là surtout, sont liés politiquement, pour ainsi dire, avec l'armée. Cela n'est absolument pas le cas de nous autres, les jeunes officiers, qui nous sommes retrouvés sans préparation dans les montagnes. Je vous assure que ceux de ma classe qui ont pris part aux opérations – ceux qui ont survécu – veulent oublier. Ils ont beaucoup vu et beaucoup souffert. Ce conflit-là ne nous concerne pas. Tout cela, c'est du passé. »

Son regard fier braqué sur moi me traversait pour aller se perdre, par la fenêtre ouverte, dans le Jardin, aux cimes des arbres qui bruissaient dans le vent léger.

Je lui fis remarquer qu'il s'agissait d'un passé trop récent pour n'avoir pas d'influence, et à l'heure où je te parle, des années plus tard, je continue de le croire. Surtout avec l'expérience que j'ai acquise entre-temps. Car moi non plus, en ce temps-là, je ne savais pas.

« Mais n'est-ce pas justement cette attitude, lui demandai-je, qui incite vos supérieurs à penser que vous refusez une certaine idéologie ? »

Il me regarda stupéfait.

« Que voulez-vous dire, que je ne suis pas patriote ? »

Il avait pâli, et cela renforça l'impression que me faisaient ses yeux, très enfoncés, très sombres, comme s'il avait perdu son air juvénile pour se retrouver soudain dans un âge plus mûr. Une pensée me traversa comme un éclair : comment serait-il, ce beau visage, des années plus tard ?

« Ce n'est pas moi qui mettrai en doute votre patriotisme, dis-je, souriant malgré moi en disant ce mot, si malmené pendant les années en question, ou du moins cela n'est pas du ressort du Conseil qui va vous juger. Nous sommes, par bonheur ou par malheur, au-delà des passions politiques, et de toute passion quelle qu'elle soit, excepté celles que la science du Droit connaît au milieu des flots et de la tempête des Lois. »

Il me regarda attentivement, comme s'il comprenait mal le sens exact de mes paroles.

« Si vous voulez savoir quelles sont mes opinions, dit-il, je n'ai pas d'opinion au sens où l'entendent les journaux. »

Il s'en prenait encore aux journaux.

Sa voix soudain était devenue dure, « indisciplinée », comme l'aurait qualifiée aussi, sans doute, le Conseil des promotions.

« Pourtant votre famille, remarquai-je, voulant épuiser la question, et votre père par exemple, doivent bien être situés quelque part. Nous autres Grecs, depuis la guerre, nous avons tous des opinions politiques, il est ridicule de le cacher maintenant. »

« Mon père était vénizéliste de tradition ; il continue aujourd'hui d'appartenir au parti des Libéraux. »

Il parlait avec une fierté contenue, et en même temps une certaine rancœur, qu'il ne s'avouait peut-être pas – et aussi une intrépidité qui me fit entrevoir comment il se comportait peut-être dans son unité.

« Mais n'est-ce pas justement cela, m'efforçai-je de lui suggérer, qui influe de façon générale sur votre position dans l'armée ? »

« Non, dit-il vivement, d'ailleurs je ne suis pas le seul dont les parents aient des idées libérales. J'ai des collègues dans ce cas qui ont été promus normalement. »

Il me parlait comme s'il y avait dispute entre nous.

« Attention, lui dis-je, je ne suis pas militaire et je n'ai ni le devoir ni l'intention de vous soumettre à une enquête. Si je vous interroge, c'est pour éclairer les choses. Faites comme si vous aviez affaire à un avocat ou un confesseur – ce qui revient au même : de votre degré de sincérité dépend le degré de soutien qu'il peut vous apporter. »

Son visage aussitôt s'éclaira. Le mot « soutien » était ce qu'il attendait, semble-t-il, depuis si longtemps. Il avait maintenant l'air insouciant d'un jeune garçon qui joue avec un uniforme et une petite épée.

« Non, dit-il, je ne laisse pas mes convictions influencer le milieu où je vis et je sers. D'ailleurs, je vous l'ai déjà dit, je suis toujours prudent dans mes discussions – et je n'ai jamais appartenu à aucune faction. »

Il dit ces derniers mots comme s'ils lui avaient échappé.

« Il existe donc des factions dans l'armée ? » demandai-je, tout en jouant avec mon coupe-papier. « De quel genre ? Vraiment, cela me rappelle une brochure qui circule sur une organisation appelée l'IDEA, écrite par un certain Karayeòryis, ou Karayànnis, un nom de ce genre. Ma question, me hâtai-je de préciser, est totalement indépendante de votre affaire ».

« C'est juste, dit-il : le Général Karayànnis de la 9e division blindée. »

« Et de quoi s'agit-il, qu'est-ce que cette IDEA ? »

« C'est, je suppose, dit-il, une organisation regroupant certains officiers aux opinions irréprochables, ayant pour but d'améliorer le fonctionnement et l'encadrement de l'armée. »

Cela également fut dit comme s'il récitait un poème.

« Alors il existe aussi, peut-être, insistai-je, une autre faction, disons parallèle, et prônant l'idéologie opposée, formée d'officiers modérés ou démocrates, appelons-les ainsi – est-ce que je me trompe ? »

C'était comme si j'avais interrogé un prêtre sur un schisme éventuel au sein de son église.

« Vous vous trompez, dit-il avec douceur, ce ne sont que des bruits qui courent ».

« Eh bien, dis-je en changeant moi aussi de ton, dans la mesure où vous n'êtes impliqué ni avec les uns, ni avec les autres, je ne vois pas la raison de nous en mêler. Revenons donc à votre affaire ».

« Bien », dit-il avec un soulagement visible.

« J'ai là vos feuilles de notes, qui sont bonnes. Franchement, je ne vois rien de sérieux qui puisse empêcher votre avancement. Même cette feuille que vous avez dans votre poche n'a pas grande importance pour moi. Il s'agit clairement d'un malentendu. Affectivement instables, soulignai-je, nous le sommes tous plus ou moins, la nature nous a faits ainsi. Donc, si l'on admet que la décision du Conseil des promotions est entachée d'injustice à votre égard, je m'efforcerai, étant votre rapporteur – comme le hasard et mes supérieurs l'ont voulu – d'effacer la tache en question. »

« Je vous remercie, dit-il de sa belle voix sonore. J'en étais sûr. Dès le premier instant je n'ai jamais douté. »

Arrivés au bout de notre première conversation véritable, nous nous regardions, silencieux. Les mots « hasard » et « supérieurs » ne semblaient pas l'avoir atteint le moins du monde. Les mots dans sa propre bouche paraissaient émis sans la moindre trace d'arrière-pensée. Pas de passion simulée, de cabotinage, pas une ombre de flatterie. Son visage lui-même ne laissait aucun doute. La beauté qui le distinguait ne laissait nulle place à la coquetterie. Elle semblait, au contraire, avoir une résonance morale.

Je me levai pour le reconduire.

« Moi aussi je vous remercie », lui dis-je par politesse, en tâchant d'éliminer la moindre trace de sentiment. « Je vous assure que je ferai tout ce qui est

humainement et légalement possible », dis-je en soulignant le second adverbe, et je lui tendis la main,
montrant par là que nous en avions terminé. Le
contact de sa peau laissait une impression de fraîcheur,
à l'opposé des poignées de main de nombreuses
personnes que j'étais contraint de subir. Cet homme,
pensai-je, ne veut pas imposer ses idées, peut-être
même n'a-t-il aucune idée à part ce sentiment de
jeunesse, de vigueur et ce désir de vaincre dans la vie.

Tandis que je le voyais s'éloigner, d'un pas vif, en
soldat entraîné, je pensais à ses supérieurs. Dieu sait
quel commandant arrogant et constipé avait rédigé ce
rapport, quelle bureaucratie médiévale faisait la loi
dans les couloirs des casernes !

Cela me fit jeter un coup d'œil à notre propre
couloir, qui resplendissait alors, pur de toute présence
de visiteurs. Étrange bâtiment que ce Vieux Palais, qui
nous abritait ainsi que l'Assemblée, avec son air sévère
et glacial qui eût mieux convenu à une école de guerre.
Ce n'est pas un hasard si l'architecte du palais fut le
Bavarois Gertner, qui transporta ses plans de casernes
nordiques dans un paysage attique traditionnellement
plus doux. Quelle atmosphère malsaine pour des
jeunes, pensai-je ; mais le beau Capitaine n'a pas
besoin de nous, il est jeune, et invulnérable.

4

Plusieurs mois passèrent et le jour du jugement
arriva.

C'était, si je ne me trompe, au début de soixante et
un, je m'étais réveillé tôt, avais bu mon thé et parcou-
rais des yeux le journal « Elevthèria », amusé par les

caricatures de Bost : Maman Hellade avec son casque antique, ses haillons et ses deux enfants, Fringale et Crève-la-dalle. Ils semblaient résumer tous trois les sentiments de l'homme de la rue. Est-ce donc vraiment la vérité, pensais-je, ou une image qu'on veut nous imposer ?

Prenant par les rues de Suède, Marasli et du Patriarche Ioachim, je me trouvai à neuf heures précises au Conseil d'État. La séance commençait à neuf heures et demie.

Avant toute chose, nous passions par notre bureau. Nous avions tous, mes collègues et moi, un bureau particulier avec nos nom et titre gravés sur la plaque de cuivre de la porte. Nous sortions d'un tiroir le dossier de l'affaire du jour, annoncée sur le tableau habituel, et prenions éventuellement connaissance de certains détails jusqu'alors négligés.

Je ne sais ce que faisaient mes collègues ; moi, en tout cas, il m'arrivait qu'en pleine nuit un point ambigu du dossier s'éclaircisse dans ma tête, et je me levais en pyjama pour tout noter dans un carnet – il ne fallait pas compter s'en souvenir au matin. La nuit est une mer que l'on traverse avec la conscience immergée. Au matin il ne reste qu'une ombre de ce qui est passé. Et je dois dire que souvent ce n'étaient pas tant les heures d'études qui éclairaient une affaire, que ces petites illuminations nocturnes, semblables à celles que connaissent poètes et écrivains.

Mais avant de gagner la salle d'audience, mes collègues et moi passions par une antichambre qui était notre vestiaire.

C'est là que se trouvaient accrochées, sous le nom de chacun, les toges que nous portions et que nous appelions nos robes de chambre. Leur velours sombre descendait jusqu'à terre, avec une ganse bleu foncé au col et aux manches pour les maîtres des requêtes, tandis qu'un ourlet de velours noir au col et aux manches distinguait les conseillers.

Deux femmes en avaient la charge.

La première, madame Clio, était la couturière de la maison. Tout maître des requêtes fraîchement élu devait passer entre les mains de cette dame et se planter devant un miroir, tandis que Clio, une pelote d'épingles au poignet, marquait la forme de son corps sur un patron. C'était une dame menue aux poignets incroyablement souples, aux doigts de vif-argent qui faisaient littéralement des miracles.

La seconde, madame Melpomèni, nous aidait chaque jour à ajuster la toge par-dessus notre costume, ou notre chemise en été. Contrairement à Clio, elle était grande et sévère, comme une prêtresse de la Danse après ses adieux qui aiderait les jeunes danseurs à trouver leurs pas. Tant que nous étions maîtres des requêtes, elle s'occupait de notre toge avec soin, certes, mais plutôt hâtivement. Dès que nous étions conseillers, Melpomèni devenait minutieuse jusqu'à l'hystérie, nous obligeant à tourner sur nous-mêmes autant de fois qu'elle le jugeait nécessaire.

Le comble, c'était nos collets. Ces cols de lin blanc, étroits au cou, s'élargissaient sur la poitrine comme un éventail. Plissés, empesés, ils s'attachaient sur la nuque par deux cordons et une agrafe. Œuvre de Clio eux aussi, ils subissaient également le contrôle minutieux de Melpomèni. Notre apparence physique semblait être placée sous l'égide de ces femmes, qui telles deux Muses étendaient leurs ailes sur nous.

Ainsi vêtus, donc, nous faisions notre entrée dans la salle, tandis que nous suivait le regard des femmes dans les coulisses, prêtes à intervenir au moindre accroc à l'étiquette, collet de travers ou toge tombant mal. En tête venait le président, entré par la porte de droite, suivi par les anciens qui prenaient place à sa

droite, alors que nous autres plus jeunes entrions par
la gauche pour nous asseoir à gauche du président.
Sans musique pour accompagner le début de l'œuvre,
impénétrables comme des sphinx, dans un noir silence, nous prenions nos places assignées.

La salle d'audience était l'apothéose du bois. Tout
était fait en chêne. Les travées, en hémicycle, for-
maient trois rangées : la première en bas, la seconde au
milieu et la troisième, la plus haute, au centre de
laquelle siégeait le président. Les fauteuils à dossier
ovale ajoutaient encore à la majesté du lieu.

Au centre s'étendait un parterre en bois où évo-
luaient avocats et huissiers, et nous avions devant
nous, en gradins eux aussi mais de face, les sièges des
auditeurs. Ceux-ci étaient les contestants, leurs repré-
sentants, les parents, les amis, mais aussi toute personne curieuse de suivre les débats. Bien que l'entrée
fût libre, nous étions loin du spectacle que présentent
les tribunaux habituels, ceux de droit pénal surtout,
avec leurs envolées, leurs joutes oratoires et le gen-
darme-cerbère. Tout se déroulait dans une atmosphère de calme et de sérénité, où la seule diversion
était le grincement des sièges du public, chaque fois
qu'une personne s'asseyait ou se levait. Un tel recueil-
lement ne se retrouve qu'au Sénat. Y contribuait aussi
la fréquente absence des deux contestants, mais aussi
le fait que la présence des avocats n'était pas obliga-
toire quand l'appel du requérant – comme dans le cas
du Capitaine – était signé par son avocat mandaté.
Tous ceux-ci, je dois te le dire, empochaient souvent
leur petite enveloppe et considéraient leur travail
comme terminé. Contrairement aux tribunaux de
droit pénal, nos jugements n'étaient pas rendus le jour
même, ni le lendemain, mais au bout du temps qu'il
fallait. Des semaines ou des mois. Ces jugements

ressemblaient à des fruits replacés dans des caves et gardés au frais jusqu'à maturation.

En cette journée du début de soixante et un, l'atmosphère, paradoxalement, était tendue. Je me souviens bien, c'était en février ou mars, et dans les bureaux des conseillers, mais aussi dans le vestiaire, nous discutions tous d'une nouvelle qui semait le trouble. Georges Papandrèou avait annoncé la fondation d'un nouveau parti. C'était là un élément important pour apprécier la situation, et une sévère menace pour la droite qui depuis des années, d'abord en tant que Rassemblement, puis sous le nom d'ERE, monopolisait le pouvoir. C'est du moins ce que disaient mes collègues, car de mon côté, peu au fait des événements politiques, j'écoutais plus que je ne parlais.

« Mais dis-moi, ce Papandrèou, il est de gauche ou il fait semblant ? » C'est ce que m'avait demandé, je me souviens, le maître des requêtes G., un collègue terriblement myope, et par ailleurs terriblement sympathique dont les goûts rejoignaient parfois les miens. Il lisait, lui aussi, et écoutait de la musique.

« N'ayez nulle crainte, lança le maître des requêtes B. aux lèvres épaisses et sensuelles, s'il était de gauche comme tu le décris, alors pourquoi aurait-il, jusque récemment, marchandé son entrée à l'ERE ? »

« Je souhaite que tu aies raison, intervint à son tour le conseiller L., lissant de la main sa vénérable chevelure, mais je crains qu'il ne s'agisse d'une manœuvre, là aussi. »

Tout en échangeant ces propos, nous arrivâmes dans la salle d'audience.

Chacun de nous avait pris sa place ; nous étions neuf ce jour-là, sept conseillers, deux maîtres des requêtes ; le président avait salué comme de coutume, en s'inclinant, le public debout qui l'attendait pour s'asseoir, quand j'aperçus le Capitaine.

Il se trouvait au premier rang de l'assistance, sans avocat, l'air sérieux, vêtu mieux que jamais et coiffé impeccablement – comme un enfant qui fait sa première communion. Il avait lui-même jugé superflu le soutien d'un avocat, et je l'avais encouragé moi aussi dans cette décision, jugeant son affaire simple et sans difficultés particulières. Je lui avais même conseillé de ne pas venir du tout au tribunal ; puis, devant son insistance, j'avais dit : « Alors viens, ce n'est pas plus mal que tu sois présent toi aussi. »

Au fond je comptais sur sa présence pour influencer favorablement le tribunal. Mon président, j'en avais fait l'amère expérience, écoutait les requêtes venant des officiers avec l'air de dire : « Misère ! Que nous veulent-ils encore, le reste ne suffisait pas ? » Une même impression semblait constamment partagée par beaucoup d'entre nous : l'Armée, cette caste fermée, avec ses problèmes propres et sa hiérarchie, devait régler ses différends par elle-même, sans recourir aux tribunaux administratifs. Pour ne rien dire des bruits qui filtraient, concernant des associations occultes au sein de l'Armée, et qui nous étaient tout sauf agréables. Pour ces raisons, je comptais en secret sur l'impression que le requérant lui-même, le beau Capitaine, produirait.

Or voilà que l'officier avait maintenant les yeux fixés sur moi, non seulement comme quelqu'un qui attend, mais avec un air d'optimisme, et même de joie, qu'il avait le plus grand mal à cacher. Son visage rayonnait, il se redressait fièrement comme à la parade, et je me disais qu'il pouvait d'un instant à l'autre laisser l'émotion le submerger.

J'étais près de regretter de l'avoir laissé venir, mais en même temps son regard, un regard candide, m'observait avec tant de confiance, que presque aussitôt j'eus honte de m'être laissé aller à de telles pensées.

Je remarquai, assise à côté de lui, une jeune fille qui venait d'arriver en retard, une brune aux cheveux lisses et tirés en arrière, aux yeux sévères. Elle le regardait avec dévouement, l'air de savoir ce qu'elle voulait. Et moi aussi je le regardais du haut de ma tribune, comme pour lui dire :

« Ne crains rien, on y arrivera. »

C'étaient de curieux sentiments que ce jeune homme s'était mis à provoquer en moi. N'ayant pas d'enfant, je commençais à voir en lui une espèce de vague fils ou de neveu. Mais ce n'était pas seulement cela. Il y avait en lui autre chose qui m'enchantait, me stimulait, en dehors des sentiments vaguement paternels que je pouvais nourrir pour lui. C'était – disons enfin le mot – le charme invincible de son visage. Ce visage était l'image même de la jeunesse insouciante, façonnée avec soin par l'enfance et menée à sa perfection par l'adolescence – une perfection qu'ensuite il serait difficile de dépasser. Je ne savais pas ce que deviendrait le visage de cet homme des années plus tard – au jour où je te parle, je le sais, cela aussi – mais il est sûr qu'alors, ce jeune visage concentrait les plus hautes vertus qu'on puisse voir chez un être humain : jeunesse et beauté, générosité, caractère. Un sculpteur antique, de l'époque classique surtout, n'aurait presque rien eu à lui ajouter.

Je ne t'imposerai pas l'exposé détaillé de la procédure. Assis, selon la coutume, je dis la phrase consacrée : « L'affaire est en discussion », et aussitôt après je me mis à lire : « Monsieur N. sollicite en ce jour l'annulation... » Dans ces moments-là notre voix se faisait uniforme et méticuleuse. Rien de polémique, aucune passion. Tout suivait son chemin, comme un train passe par des paysages connus par cœur. J'évoquai succinctement sa carrière, son passage d'un an à l'École militaire, en insistant sur ces brèves études et ce qui en était la cause ; ses affectations diverses en tant que sous-lieutenant d'infanterie, puis lieutenant et capitaine ; je m'attardai sur son livret matricule, pour aboutir à l'acte du Conseil des promotions qui refusait son avancement.

« Le procès-verbal ne nous met pas en mesure d'examiner les raisons de la décision du Conseil des promotions ; il ne correspond pas non plus aux autres éléments du dossier. En conséquence, je propose que l'acte soit annulé pour cause de justification insuffisante. »

Le président m'écoutait, hochant la tête comme s'il voulait chasser une mouche, puis il demanda, conformément au règlement, s'il y avait là un représentant des autorités militaires. Non, aucun représentant de l'Armée n'avait jugé bon de se déplacer. Ce qui me sembla, d'une part, de bon augure pour le Capitaine, les militaires ne semblant guère attacher d'importance à leur propre décision, et par ailleurs assez monstrueux – comme s'ils nous ignoraient.

Ensuite le président demanda si quelqu'un voulait ajouter quelque chose, et comme tous restaient silencieux, nos regards se concentrèrent sur le requérant. Je vis de nombreuses paires d'yeux braquées sur lui avec curiosité, et le voyant tourné vers nous, attentif, innocent et pur, je constatai aussitôt quelle impression favorable il avait produite. Oui, il avait très bien fait de se présenter. Aussitôt après, le président fit tinter sa clochette, signe que la procédure était terminée.

Vers midi je trouvai le Capitaine qui m'attendait devant la porte de mon bureau. À côté de lui, la même jeune fille brune que j'avais vue dans l'auditoire. Je remarquai de nouveau ses yeux, très noirs, sévères. Elle était toute vêtue de noir, comme après un deuil récent. Il me la présenta comme sa fiancée.

« Marìa », dit-il simplement, comme si la chose allait de soi.

Comme je les invitais à entrer s'asseoir dans mon bureau, le Capitaine refusa. Il dit qu'il m'avait attendu seulement pour me remercier, et demanda vers quelle date, selon moi, serait connu le verdict.

Je lui expliquai le processus : délibération, rédaction de l'intervention, annonce publique de la décision, puis, pour conclure, publication au Journal Officiel. Dans deux mois, deux et demi au plus, nous l'aurions sans doute entre nos mains. « Malgré tout, lui dis-je, téléphonez-moi auparavant, dans un mois ; pas plus tôt, je vous prie. »

La jeune fille se tenait à côté de lui, les yeux baissés.

« Eh bien, nous sommes d'accord ? » insistai-je, les voyant tous deux un peu gênés.

Il me serra de nouveau la main.

« Je pars, dit-il, j'ai quelques jours de congé, je vais les passer à la campagne avec Marìa, chez mes parents et mes frères et sœurs. Cela fait bien longtemps que je ne les ai vus. »

Je les enviai un instant. Je me représentai des champs fertiles et des sommets lointains dans le crépuscule, la verdure, les potagers, les champs de pastèques, la mer à distance, pas trop loin ; j'imaginai aussi une maison de pierre au toit de tuiles, et tout cela, malgré tout, me rendit mélancolique. Mes vacances à moi se passaient en ville ; au mieux dans une île proche, Égine ou Poros. Je n'avais aucune maison de famille qui m'attende en province. Rien qu'une chambre d'hôtel et quelques mètres carrés sur une de ces plages aménagées, dont la mode commençait à se répandre.

« Je te souhaite un séjour agréable et reposant », lui dis-je, le tutoyant soudain. Et me tournant vers la jeune fille : « À vous aussi. »

Je vis ses yeux à lui qui me regardaient, confiants, brillants. Quelque chose semblait prêt à éclater, une émotion, une passion qu'il se dissimulait à lui-même.

« Je vous remercie », dit-il, et quand nous eûmes échangé une nouvelle poignée de main, je le vis s'éloigner avec son amie, de son pas triomphant comme toujours, dans notre couloir. Ce couloir qu'il était appelé à si bien connaître.

5

Nous étions au début de l'automne soixante et un. Les élections avaient eu lieu, avec des résultats contraires aux pronostics. L'ERE avait de nouveau formé le gouvernement et l'Union du Centre était dans l'opposition. Dans les bureaux, rumeurs et discussions faisaient rage.

« Il n'y a aucun doute, commentait le conseiller D., un homme brun et sec aux favoris agressivement gris, ils n'étaient pas de taille à gagner 168 sièges ! C'est bien clair, mes amis : il s'agit là d'une fraude électorale. Fraude et violence, on a raison de le dire ! »

« Tu exagères un peu », répliquait le conseiller A. à la vénérable chevelure, et suivant le long couloir, nous nous séparions pour rejoindre nos bureaux respectifs.

À cette ambiance enfiévrée vint s'ajouter, détail infime, l'affaire du Capitaine. Elle suivit la procédure habituelle, retardée pour cause d'élections, et vers les fêtes, entre Noël et le Jour de l'An, la décision fut rendue publique. Nous étions restés en contact par téléphone, et j'eus le plaisir de lui annoncer le résultat en guise d'étrennes. La décision, suivant mes conclusions, annulait le jugement du Conseil des promotions pour « justification insuffisante ». Dans quelque temps elle serait publiée au Journal Officiel.

« Êtes-vous satisfait ! » lui demandai-je.

« En doutez-vous, monsieur ? » Et après un silence de quelques secondes, je l'entendis à l'autre bout du fil me dire : « Je vous dois tout. »

Je lui affirmai qu'il exagérait et qu'à ma place tout juge en aurait fait autant. Pour finir il me demanda s'il pouvait venir me voir.

« Je suis débordé, mon cher, et j'imagine que vous-même devez être présent tous les jours dans votre unité. Mieux vaut reporter à plus tard, quand nous aurons le temps vous et moi. »

Il me remercia de nouveau et je raccrochai, soulagé. Quelle que fût la sympathie que je nourrissais pour sa personne, nous n'avions rien de commun, ni l'âge ni la situation. Et s'il voulait vider son cœur, il avait son amie.

Cela, bien entendu, ne l'empêcha en rien de m'envoyer chez moi une corbeille de fruits secs, figues et raisins, depuis « la belle Locride », selon les termes du petit mot amical qui l'accompagnait. Mais bien qu'il y eût noté son adresse et son téléphone, j'évitai soigneusement d'en faire usage. Mieux valait, me dis-je, oublier tout cela, je n'allais tout de même pas nouer des relations avec tous ceux qui ont recours à nous. On n'en finirait pas. Sans compter que la plupart d'entre nous, en cette fin de soixante et un, se voyaient imposer un surcroît de travail. De nombreux membres du Conseil d'État avaient été appelés à siéger à la Cour spéciale que l'Union du Centre avait saisie à propos des élections.

« Mais enfin, que veut-il, que cherche-t-il, cet homme ? » disait le conseiller A., parlant d'Andrèas

Papandrèou. « Aurait-il oublié décembre 44 ?[1] » Et glacé sans doute par un tel souvenir, il s'emmitouflait dans sa toge.

La formule « fraude et violence » était devenue la tarte à la crème de tous les journaux d'opposition et souvent, dans nos sombres bureaux, les caricatures de Dimitriàdis ou de son cadet Mitròpoulos passaient de main en main, semant la bonne humeur en même temps qu'un certain frisson. Notre position, cela va sans dire, était on ne peut plus délicate et décisive en cette affaire, qui déciderait de l'éventuelle annulation des élections. En tant que simple maître des requêtes, j'avais évité l'écueil, heureusement, ce qui ne m'empêchait pas de suivre l'évolution des événements. À plus forte raison quand tous les jours, dans la rue, en plus des titres des journaux, nous accompagnaient les cris de la foule des étudiants, scandant sans cesse à pleine voix : « Un et un et quatre ! »

« Mais qu'est-ce que c'est encore que ce un-et-un-et-quatre ? me demanda Sofia un soir en mettant la table. J'entends ça chaque matin en allant faire les courses. »

Je lui expliquai qu'il s'agissait de l'article 114, le dernier de la Constitution.

« Et qu'est-ce qu'elle dit, cette Constitution ? » insista Sofia.

« Que le respect de la Constitution dépend du patriotisme des Grecs. »

Alors Sofia, cette illettrée qui savait tout, répondit :

« Mais s'ils ne le savent pas et attendent la Constitution pour l'apprendre, alors c'est la fin des haricots ! »

Telle était l'ambiance de ces journées-là, et tu

---

1. En décembre 1944, ayant refusé de se dissoudre, l'armée des résistants de gauche s'affronta aux Anglais et aux troupes royalistes.

comprends qu'avec le surcroît de travail et ce déchaî-
nement dans les coulisses, j'aurais sans doute oublié le
Capitaine, si je n'avais eu mademoiselle Phòni pour
me le rappeler.

Je traînais un jour au greffe, selon mon habitude, le
long des rayonnages pleins de dossiers classés, et je
venais de faire une remarque sans rapport, quand
notre Sénateur me dit brusquement :

« Et le Capitaine, monsieur ? Qu'est devenue son
affaire ? »

Debout entre des piles de documents, elle me fixait,
l'air attentif. Quelque chose dans son attitude semblait
dire : « Il vous a bien occupé, ce jeune homme. »

« Justice est faite, répondis-je, tout s'est arrangé. »
Histoire de dire quelque chose et d'en finir.

« Et vous êtes sûr qu'à présent leur Conseil accep-
tera sa promotion ? »

Le ton de sa voix me gêna vaguement.

« Et pourquoi pas ? » dis-je.

Elle sourit sournoisement.

« Je ne sais pas, fit-elle en hochant sa perruque grise,
ces Conseils militaires traînent à n'en plus finir. »

« Ils n'ont aucune raison de ne pas prendre au
sérieux notre décision. Il s'agit d'un jeune homme
remarquable. Et sérieux », ajoutai-je en rougissant
soudain.

Je me hâtais déjà vers la sortie, quand le Sénateur,
plissant les lèvres, ajouta :

« Et beau – ne l'oublions pas. »

Il y avait dans sa voix, outre du sarcasme, un
tremblement imperceptible.

Le même soir, nous étions rassemblés dans la salle
des délibérations, autour de la grande table d'acajou.
Une affaire importante nous occupait sans doute.
Nous étions vêtus de tuniques noires comme la poix et
coiffés de perruques toutes blanches, tels des séna-

teurs. Je ne sais ce dont nous discutions au juste, mais bientôt la discussion s'échauffa et je pris la parole, critiquant sévèrement les termes de la décision dans l'affaire que j'avais moi-même présentée : « Justification insuffisante, disais-je, qu'est-ce que cela signifie ? La décision fait état d'une *"insuffisance"* ; nous aurions dû argumenter autrement, et dans d'autres termes. » Je n'avais pas fini d'exposer ma pensée, quand les portes s'ouvrirent avec violence, livrant passage à un groupe d'hommes en uniforme. Je tentai en vain de repérer mon Capitaine. Ceux-là semblaient être ses supérieurs ; leurs étoiles en tout cas étaient plus nombreuses et brillaient d'un éclat particulier, solennel et dur. « Comment osez-vous ! » fit une voix – celle de notre président, qui les réprimandait.

« Réveillez-vous ! »

Une main me secouait. Je me retournai.

« Il est huit heures, dit Sofia, qu'est-ce qui vous prend de paresser comme ça ! »

6

Des mois passèrent.

Nous étions en mille neuf cent soixante-deux. Je me levais le matin, prenais un taxi et vers neuf heures, suivant le trajet habituel, j'arrivais à la place Sỳntagma en attendant que commence, à neuf heures et demie, le défilé des affaires du jour. Il arrivait que la séance ait de l'intérêt, de l'animation, mais le plus souvent les dossiers ne sortaient pas de la routine. Vers midi j'allais faire un tour au greffe, où j'échangeais comme de coutume quelques piques avec mademoiselle

Phòni, mais il était bien rare que j'adresse la parole aux autres employés.

À la sortie, avec mes collègues, les commentaires allaient bon train. Gouvernement et opposition étaient désormais en conflit ouvert, tout le monde commentait la résistance farouche du vieux Papandrèou, tandis que le gouvernement, pour faire diversion, engageait un combat sur deux fronts contre l'Union du Centre et la Gauche Unie.

« Je te le prédis, annonçait le maître des requêtes V. en agitant l'index et plissant ses lèvres sensuelles, ce qu'ils nous préparent, c'est de nouveaux accords de Vàrkiza [1] », et il ôtait soigneusement sa toge.

« Que dirais-tu d'une petite dictature ? Quelques mois seulement, ou quelques années ! »

Je passais en affectant l'indifférence. Je faisais un petit tour sur la place, achetais un paquet de gâteaux chez Zavorìtis et rentrais chez moi en taxi. Sofia me préparait mon déjeuner. L'après-midi, en cas de réunion ou de séminaire, je faisais encore un saut jusqu'au Conseil d'État, et quant à mes soirées – celles que rien ne dérangeait, ni réception, ni dîner, ni théâtre –, je les consacrais à la lecture et à la musique. Je lisais Sappho et Virgile, et mettais sur mon tourne-disque Monteverdi ou Beethoven – de préférence les quatuors. J'écoutais aussi, moins souvent, des musiciens plus récents tels que Ravel ou Stravinsky.

Alors ma pensée s'envolait vers des rêves anciens – amour, jeunesse, poésie –, parfois réalisés, parfois abandonnés, mais dont la plupart nourrissaient encore ma rêverie. Par moments, sous l'influence de la

1. Les accords de Vàrkiza (février 1945), qui mirent fin aux troubles en prévoyant des mesures d'apaisement, ne furent pas respectés par la droite au pouvoir qui fit régner la terreur blanche.

musique, je me rappelais certains visages rencontrés tout au long de ma carrière, dans les bureaux et les couloirs : figures hétéroclites, les uns grands et maigres, les autres gros, ou même boiteux, des femmes aux drôles de chapeaux – mais chez tous et toutes je trouvais quelque chose d'intéressant. Ces images nées d'un contact quotidien avec le monde des couloirs me donnaient l'impression que ma vie ne s'écoulait pas au milieu d'un entassement inerte de dossiers, mais qu'il y avait là, au contraire, des êtres humains qui chatouillaient les lois, les forçant à rire ou à grimacer, selon les cas.

Je me rappelais une femme, employée dans un ministère, qui avait eu recours à nous – impossible de me rappeler pourquoi –, une dame aux yeux brun foncé, aux sourcils très fournis qui donnaient un air viril à sa physionomie. On lui voyait toujours le même tailleur gris, et des cheveux courts et lisses comme ceux de Greta Garbo dans ce vieux film, *La reine Christine*. Elle avait un corps très svelte pour son âge – la quarantaine – et une dignité dans la moindre expression, le moindre geste, une noblesse innée qui m'avait frappé. Que cette femme soit dans son tort ? Impossible ! Une insupportable nostalgie s'éveillait en moi. Tu vois, me disais-je, il y a des êtres avec qui, le cas échéant, je pourrais m'entendre, et vivre en harmonie peut-être. Et pourtant, dans ma jeunesse, je n'avais d'yeux que pour des actrices, des chanteuses. J'étais subjugué aussi par des aventurières, ces blondes oxygénées, les cheveux au vent. J'étais attiré invinciblement par leur insouciance, leur joie de vivre. Ce qui venait sans doute de mon tempérament renfermé et solitaire.

Je changeais de disque et de souvenirs en même temps.

Je me rappelais ce père qui avait eu recours à nous

contre le lycée qui avait renvoyé son fils, un grand
blond aux cheveux jusqu'aux épaules – on aurait dit
une jolie femme. C'étaient les cheveux qui avaient
motivé le renvoi. Ignorant ses bons résultats, on ne
jugeait que son apparence. Comme l'avait dit l'avocat
du jeune homme dans sa plaidoirie, « une telle décision
constituait une atteinte à la liberté individuelle ». Les
deux personnages me revenaient à l'esprit : le père,
petit et rabougri, le visage noyé de rides, comme si la
vie l'avait marqué à coups de fouet, et d'autre part le
visage du fils, frais, léger ; quelque chose de poéti-
quement anarchiste planait sur ce garçon. C'était cela
sans doute, plus que les cheveux eux-mêmes, qui avait
provoqué l'ire du directeur.

« Tu te rends compte, me disais-je, quelle étroitesse
d'esprit ! »

Alors ma pensée, spontanément, revenait au Capitaine. Mais qu'était-ce donc qui m'avait fait le distinguer ? Sa jeunesse ou sa belle apparence ? Ou peut-
être était-ce l'injustice qui le faisait s'ajouter aux
autres personnes de ma collection, ces visages dont
j'avais oublié le nom ? À vrai dire, j'étais près d'oublier jusqu'à son nom à lui. J'étais alors saisi par un
sentiment particulier, comme quand on a fréquenté
quelqu'un pendant une longue période et qu'il disparaît brusquement. Il nous préoccupe moins, à l'heure
où il disparaît, qu'après des mois, des années peut-
être, quand son visage revient sans être attendu
comme une photo oubliée dans un tiroir.

J'éteignais mon tourne-disque et j'allais me coucher.

7

Était-ce une coïncidence ? un coup du destin ?
Moi-même je ne saurais le dire. Toujours est-il
qu'après une soirée perdue en rêveries, le lendemain,
comme j'entrais au greffe pour demander un papier, le
Sénateur qui buvait son tilleul, penchée sur les va-
peurs de sa tasse, me dit soudain :
« Savez-vous, monsieur, qui nous avions ici à l'instant ? Devinez. »
Je répondis avec l'ignorance caractéristique de celui
dans la vie duquel un événement se produit juste au
moment où il ne s'y attend pas.
Mademoiselle Phòni souriait, sardonique. Les
gratte-papier autour d'elle, barricadés derrière leurs
registres, avaient l'air funèbre et recueilli.
« Comme il était prévisible, remarqua le Sénateur,
jetant autour d'elle un regard vif comme l'éclair, notre
Capitaine a déposé une nouvelle requête », et sortant
une feuille d'un dossier, elle la brandit, l'air triomphant.
Mon cœur se serra, je dus laisser voir, l'espace d'un
instant, une indignation dont je ne savais moi-même
à qui je l'adressai. Je vis le regard du Sénateur briller
de satisfaction. Un peu comme si elle me disait :
« Vous voyez, je vous avais prévenu ! Vos décisions
n'ont servi à rien. Cet homme est persécuté. Aucune
sentence absolutoire ne le sauvera. »
Je constatais avec effroi que cette femme à perruque
avait le don de prédire les malheurs. Je m'efforçai de
me montrer impassible. Je pris la requête et me mis à
l'étudier. C'était bien clair. Le Commandement avait
usé de la facilité offerte par la décision « justification
insuffisante » : on avait de nouveau supprimé son
avancement, mais cette fois on s'était donné la peine

de justifier à peu près : « Excessivement indépendant, avec une nette tendance à l'indiscipline. S'adonne aux jeux de cartes et à la lecture d'ouvrages incompatibles avec sa qualité d'Officier. » Suivaient d'autres jugements qu'à ce moment-là je n'eus pas le temps de lire.

« Les salauds, pensai-je, ils sont quand même arrivés à le coincer ! »

Mais je veillai à conserver mon sang-froid, et me tournant vers mademoiselle Phòni :

« Ce n'est pas nouveau, lui dis-je, je dirais même que c'est très banal – rien de plus fréquent dans les cas de ce genre. »

Mademoiselle Phòni me considéra depuis son bureau d'un air de triomphe énigmatique.

La scène commençait à me mettre mal à l'aise. Il me semblait, d'après son attitude, que Phòni voyait en moi non seulement la personne chargée de l'affaire, mais son instigateur, l'homme qui avait tissé les fils de la conspiration.

« Et qu'allez-vous m'annoncer d'autre ? dis-je, dans un ultime effort pour plaisanter. Le tenez-vous caché quelque part ? »

« Eh bien oui, monsieur, il vous attend, il est dans votre bureau. »

Cette fois, en plus de ma surprise, je laissai échapper un tressaillement de joie. Sans doute notre rencontre n'aurait-elle pas lieu dans des conditions idéales ; « mais je veux absolument le revoir et le saluer » – cette pensée recouvrait toutes les autres.

Je m'attardai un peu, faisant mine de ranger quelques papiers, et cinq minutes plus tard je me dirigeais vers mon bureau toutes voiles dehors.

Dans le couloir je croisai le maître des requêtes G. Derrière ses petites lunettes de myope ses yeux étincelaient, il se contenait à grand-peine.

« Tu as entendu les nouvelles ? » me lança-t-il.

Non, je n'avais rien entendu.

« Hier soir, à la réception du palais royal, les députés du Centre, et Papandrèou à leur tête, brillaient par leur absence... »

« Ça alors ! » dis-je, les yeux braqués vers le fond du couloir.

« Et tiens-toi bien, poursuivit-il en claquant des lèvres, un seul a violé la consigne. »

« Vraiment ? » fis-je, feignant la surprise. Je ne voyais nulle part le Capitaine. Était-il parti ?

« Venizèlos [1], dit-il. Il était obligé, tu comprends, le petit Kliklis ! » Et avec un ricanement il me quitta pour aller annoncer la nouvelle aux autres.

D'un pas que je m'efforçais de modérer je poursuivis vers le fond du couloir. Mais avant d'arriver au dernier tournant en vue de la porte de mon bureau, une nouvelle pensée me traversa l'esprit.

« Et si cette épreuve avait influencé son caractère ? Imagine qu'au lieu de l'officier jeune et vif qui est resté dans ta mémoire, tu trouves à sa place une loque humaine ! »

Un instant j'eus l'idée de changer de direction, d'user du premier prétexte pour éviter de passer par mon bureau. Une fois de plus, pourtant, je me dominai.

« Quoi qu'il arrive, pensai-je, il faut que tu sois là. Cet homme a besoin de toi, cette fois plus encore que les autres. Au fond, tu es responsable de lui. C'est toi qui lui as donné ce courage, cet optimisme. Encore que, me dis-je pour m'encourager moi aussi, le fait qu'il ait eu assez de cran pour déposer une deuxième requête, n'est-ce pas la preuve que les circonstances n'ont pu le faire plier ? »

---

1. Sofoklis (« Kliklis ») Venizèlos, fils du grand homme d'État Elevthèrios Venizèlos, et moins brillant que lui.

Et en effet, à peine avais-je tourné le coin que le Capitaine m'accueillit à la porte de mon bureau. Il était comme toujours impeccablement vêtu, le corps très droit. Comme un jeune cyprès, qui pousserait sans se douter de rien dans un cimetière.

« Pourquoi n'êtes-vous pas entré ? » remarquai-je quand nous nous fûmes serré la main.

« Ici au moins, chez vous, dit-il avec un sourire, je préfère ne pas manquer à la discipline. »

Il y avait une ironie amère dans sa remarque, et tandis que je lui cédais le passage, lui indiquant le fauteuil de cuir en face de moi, je constatai qu'à côté de son optimisme naturel, une humeur sombre s'était insinuée.

« Je suis vraiment désolé, dis-je, je viens de jeter un coup d'œil à votre requête. »

Il me considéra, l'air sérieux. Ses yeux reflétaient la lumière tombant de la fenêtre. Des yeux limpides comme du cristal.

« Je ne puis me prononcer avec certitude, poursuivis-je, n'ayant pas vu votre dossier. »

Je m'arrêtai un instant. Je ne savais comment me comporter avec cet homme. Lui non plus ne parlait pas.

« Vous jouez aux cartes ? » demandai-je soudain.

Il me regarda comme un enfant dont la faute est insignifiante à côté de la punition imposée. Son regard était candide ; son allure jeune et indomptable encore ; ses sourcils dessinaient le même arc, on eût dit qu'une épée traçait une ligne sur son front. De temps à autre pourtant, cette ligne se brisait, comme si la belle épée soudain pliait. Ses cheveux, je le remarquai, tombaient en mèches sur son front. Ce n'était plus la raie sage et tranquille de sa jeunesse, mais un sentier menant au fond d'une jungle sans issue.

J'avais totalement oublié ma question.

« Vous avez fort bien fait », dis-je, répondant à une autre question que j'avais cru lire dans ses yeux. « Dans la mesure où vous jugez être étranger aux accusations portées contre vous, la seule voie est celle-ci : persister dans votre recours. »

Une joie sauvage brillait maintenant sur ses traits, qui lui donnait soudain l'air plus âgé, mûr à présent. Mes paroles, visiblement, l'avaient raffermi, exalté.

Ce n'était pas la première fois que je voyais quelqu'un recourir à nouveau au Conseil d'État, et attaquer la sentence qui l'avait déclaré inapte, incompétent, privé d'avancement ou je ne sais quoi. Il y avait même des cas, pas tellement rares dans les annales, où le requérant était revenu une troisième ou une quatrième fois. Pourtant ce n'était pas si facile pour un particulier d'avoir le courage d'insister, alors qu'une personne juridique ou une association professionnelle avait les moyens de résister davantage, à l'abri d'appellations impersonnelles qui perpétuaient la situation, la maintenaient des années en suspens.

Nous étions face à face. Lui plein d'assurance. Moi, soudain, rempli de doutes.

« Eh bien voilà, mon cher, le destin a voulu qu'on se revoie », dis-je diplomatiquement à la fin de notre brève rencontre, que nous avions moins passée à parler qu'à nous regarder, nous sonder l'un l'autre en silence.

« Y a-t-il des chances pour que vous vous chargiez à nouveau de mon affaire ? » demanda-t-il avec une hésitation qui se doublait d'une insistance cachée.

Les yeux brillants d'innocence, il avait fait un pas en avant et se tenait juste à côté de moi – je pouvais presque sentir son souffle. Alors je me souvins de la façon dont il m'avait saisi par la manche à la porte du greffe, la première fois, m'obligeant à entrer, à cher-

51

cher moi-même sa requête. Il me regardait maintenant de la même façon.

« Je pense que oui », répondis-je sans le regarder, et machinalement je reculai un peu. « Téléphonez-moi dans une quinzaine de jours. Entre-temps, vous n'avez pas de raison de vous inquiéter », et j'ouvris la porte de mon bureau.

« Je vous remercie beaucoup », dit-il.

Je restai à le regarder s'éloigner tandis que son pas résonnait dans le couloir, un pas de soldat dont les camarades ont disparu mais qui persiste à défiler tout seul.

Au dernier moment, je m'aperçus que j'avais oublié de lui demander des nouvelles de sa fiancée. Très pointilleux à ce sujet, je me sentis impardonnable.

Le même jour à midi, sortant sur l'avenue de la Reine-Sophie, je tombai dans une manifestation. La place Sỳntagma débordait de monde, des jeunes pour la plupart, qui se déversaient dans la rue Mitropòleos, criant, agitant des banderoles.

« Que se passe-t-il ? » demandai-je à Mìtsos, le fleuriste en plein air à qui j'achetais souvent des fleurs pour chez moi.

« Vous ne voyez pas ? dit-il. C'est des étudiants qui manifestent. Le ministre de l'Éducation en personne est venu au balcon leur parler. »

« Bizarre, dis-je, d'habitude les ministres viennent au balcon seulement pour demander des voix. »

« Qui sait, fit-il avec l'air sibyllin d'un initié, il se pourrait qu'on aille vers des élections... Vous voulez quoi, monsieur le Président, des chrysanthèmes ou des œillets ? J'ai des œillets superbes », et il m'en montra d'un rouge flamboyant.

« Je préfère une autre couleur », dis-je.

Il me regarda droit dans les yeux, tandis qu'autour de nous des cris nous bombardaient en cadence. Il y avait un bruit tel que nous devions crier pour nous entendre.

« Mais que disent-ils au juste ? » demandai-je.

« Vous n'entendez pas ? U-ne dot pour l'É-du-ca-tion ! » me cria-t-il à l'oreille.

Je pensai aussitôt à ces délicieux dessins sans ortho-graphe dont le journal « Elevtherìa » était plein à l'époque, et j'imaginai l'Éducation en jeune fille sque-lettique, pieds nus, sans dot, les cheveux dénoués. Je pris mes fleurs et m'en allai.

« Tout cela, c'est bon pour les très jeunes, pensai-je, pour le Capitaine par exemple, s'il n'était pas Capi-taine, mais simple étudiant dans une faculté. Alors il crierait lui aussi et chanterait avec les autres. Cette chanson, « Un jour de mai tu es partie », on l'entend de plus en plus. Une belle chanson, d'accord, mais moi je préfère malgré tout ma musique... »

À cette pensée, soudain pris de mélancolie, je me glissai dans la foule et m'éloignai sans tarder.

8

Chaque soir je prenais le dossier du Capitaine et, enveloppé dans ma robe de chambre, je m'efforçais de le déchiffrer. Le président m'avait de nouveau chargé de cette affaire, ce qui, loin d'être inhabituel, se faisait tous les jours au sein de notre tribunal.

Nous étions alors en plein hiver soixante-trois, un de ces hivers froids et neigeux comme Athènes n'en avait pas connu depuis des années. Il se construisait alors plus de maisons que jamais. On n'avait pas le temps de voir un immeuble achevé que le suivant était en route. La moitié de la ville s'édifiait à la place

d'anciennes demeures, et se vidait de son vieux bric-
à-brac – consoles, chaises viennoises, buffets – pour se
remplir de plastique et de formica. Pendant ce temps
l'Union du Centre réclamait des élections et tous, au
Conseil d'État, commentaient diversement l'événement. Où cela nous mènerait-il ? Des gens à qui j'avais
rendu service me téléphonaient chez moi, sous prétexte de s'enquérir de ma santé, de me remercier ; ils
gardaient toujours pour la fin la question : « Vous,
monsieur, comment voyez-vous les choses ? Aurons-
nous des élections, et quand ? » Comme si j'avais été
non pas juge au deuxième étage, mais député au
rez-de-chaussée, à l'Assemblée.

À cette époque, nous avions encore coutume de
nous retrouver entre amis le soir, tantôt chez l'un,
tantôt chez l'autre, sans le bruit de fond des chaînes
stéréo, sans la télévision dont l'offensive eut lieu à la
fin de la décennie en question. Il y avait là des hommes
de lettres et de science, des peintres anticonformistes
et des poètes bouffis d'orgueil, des grands prêtres de
l'art, mais aussi une foule de fidèles qui les suivait.
Parmi eux K., l'avocat bien connu, professeur-adjoint
à l'Université d'Athènes, dont la culture ne se limitait
pas au droit, et avec qui je pouvais discuter poésie, de
Palamas à Cavafy.

Un soir que nous étions restés les derniers, laissant
de côté les poètes, je lui exposai l'affaire du Capitaine
et le priai de me donner son avis.

« Ton problème n'est pas tellement original, dit-il
avec cette ironie qui le distinguait jusque dans ses
plaidoiries publiques, il s'agit là d'une scène qui se
joue tous les jours dans les casernes. Quand on connaît
un peu le climat qui règne à l'École Militaire, où sont
formés les officiers, on trouve normal que de tels cas
se présentent au cours de leur carrière. Et ce d'autant
plus que le personnage en question est issu, comme tu

l'as dit, d'une famille de libéraux. Je me demande même comment il a pu réussir aux examens de l'École ! »

Je soulignai qu'être catalogué « homme de gauche » n'avait pas eu autant d'effet sur son dossier que certains de ses agissements, jugés déplacés dans un campement ou un bureau militaire – c'était cela qui avait joué un rôle.

« Il est innocent et ne sait pas manœuvrer, dis-je, il est de ceux qui ont peu de chances de faire carrière ».

Il resta un instant silencieux, caressant son épaisse moustache et m'observant ; moi, de mon côté, j'étais gêné d'avoir si facilement laissé le Capitaine sans défense.

« Alors pourquoi le laisses-tu continuer ? » me demanda-t-il cyniquement.

« Mais ce serait un crime de l'en empêcher, dis-je. Tu imagines un jeune d'une trentaine d'années, à qui l'on dirait qu'il n'est pas fait pour la carrière qu'il a choisie ? »

« Bien sûr, approuva-t-il, cependant un homme de son âge a encore le temps de choisir autre chose et de s'y consacrer. Alors que plus tard... »

Plus la conversation se prolongeait, plus j'étais tourmenté de remords.

« Oui, dis-je, mais en tant que juge, il me faut respecter sa requête et la soutenir. Imagine ce qui se passerait si je le laissais sans défense, comme l'ont fait ses supérieurs. »

« Mais eux le voient, dit-il, tandis que toi tu agis sans savoir ! D'ailleurs, cela ne t'a pas mis la puce à l'oreille de voir qu'il est capitaine d'infanterie ? »

« Non, pourquoi ? dis-je. Est-il seul dans ce cas ? »

« Mais tu ne sais pas qu'à la sortie de l'École, les

Mènis Koumandarèas

premières places à prendre sont celles dans l'Artillerie, puis celles des autres spécialités ? que les dernières sont chez les fantassins, les "pue-des-pieds", comme les autres militaires les appellent ? »

« Non, je ne le savais pas, me défendis-je, et puis enfin je ne suis pas obligé de savoir tout ce qui se passe dans l'Armée. J'ai ici la feuille de notes d'un officier, toute propre, que je ne sais quelle vieille baderne s'obstine à vouloir salir. »

« Alors tu ferais bien de te renseigner sur cette baderne, comme tu l'appelles », et lissant son épaisse moustache, il se leva pour partir.

« C'est ce que je vais faire », dis-je, et en prenant congé de lui je pensai que ma première tâche du lendemain serait de téléphoner au Capitaine pour lui demander des informations complémentaires. Non que cela dût changer en rien mon attitude. Pourtant, me dis-je, il faudra cette fois-ci être spécialement vigilant et adapter mon exposé en conséquence. D'ailleurs j'aurai l'occasion de le revoir et discuter de ses idées. Cela me coûte beaucoup de le voir ainsi bloqué. Au besoin je tenterai de le dissuader.

Mais tandis que revenait devant moi son image, le grand corps droit, le regard clair, l'arc des sourcils, je sentis son optimisme passer en moi. « Non, bien sûr, pensai-je, ce serait absurde d'essayer de lui faire changer d'avis. »

Ma nouvelle rencontre avec le Capitaine eut lieu chez moi, dans cette même pièce où nous parlons maintenant.

9

Tu te demandes sans doute ce qui m'a poussé à le rencontrer hors du Conseil d'État. C'est, je suppose, mon intention de le soustraire à l'atmosphère intimidante des bureaux, ainsi que le désir secret d'étudier cet homme de plus près.

Il fut exact à son rendez-vous. À cinq heures ma sonnette retentit, et Sofia vint l'annoncer.

« Il y a un monsieur pour vous, dit-elle. Un officier », ajouta-t-elle en appuyant sur le mot.

Tu aurais dû connaître Sofia. Sa façon d'annoncer mes visiteurs avait ce ton familier et rude à la fois que prennent ceux qui vivent avec nous depuis longtemps, voulant sans doute nous protéger contre une chose désagréable ou simplement gênante. Rien à voir avec le ton de la voix du Sénateur, aucune trace d'ironie ou d'allusion.

« Qu'il entre », dis-je.

Je fis asseoir le Capitaine dans le fauteuil de cuir où tu es assis en ce moment, et que je réserve à mes invités. À ceux, du moins, que je veux mettre à l'aise. Pour les autres, j'ai une chaise Directoire, ce qu'on fait de plus inconfortable, avec un dossier comme une guillotine. Oui, celle-là !

Je lui demandai s'il voulait du thé ou du café et le laissai seul un instant, dans cette pièce pleine de diplômes et de tableaux qui à cette époque, évidemment, occupaient moins de place qu'aujourd'hui – il manquait, en particulier, ce petit dessin encadré, là, que tu regardes – mais qui malgré tout, inévitablement, lui donnaient un air solennel.

En revenant je le trouvai debout devant une photo. C'était l'image d'une jeune femme.

« La connaissez-vous ? Non ? Dommage, c'est une

actrice connue, une amie très proche », et je lui dis son nom. « Vous n'allez pas au théâtre ? »

Il répondit que non. Une fois seulement, à l'École Militaire, on leur avait donné des billets gratuits pour un spectacle : « Une pièce, dit-il, dont le seul but était de faire un sermon. Si c'est comme ça, autant aller à l'église. » Par la suite, son service en Grèce du Nord lui avait ôté toute occasion de voir une pièce « de qualité », comme il disait. « Nous n'allions qu'au cinéma, et encore, pour voir des comédies grecques et des drames sans aucun rapport avec la réalité. »

« Où avez-vous servi ? » lui demandai-je, alors que je connaissais déjà son dossier. Mais je voulais l'entendre m'en parler lui-même.

« Surtout à la frontière albanaise », et il m'énuméra les noms de certains villages et gros bourgs. « Le centre urbain où je suis resté le plus longtemps était Vèria, dont je garde les meilleurs souvenirs. »

J'étais passé par Vèria et je l'interrogeai sur la ville.

« On y est à l'étroit, comme toujours en province, mais quand on vient des postes frontière on dirait le paradis. Pourtant, ce qui me plaît le plus, c'est la plaine : quand on se met le dos aux montagnes et qu'on a devant soi les champs qui s'étendent à perte de vue, alors on croit voir la mer. »

Ses yeux, tandis qu'il parlait, avaient la lueur nostalgique de celui qui a vécu ses premières années près de la mer, et que les circonstances tiennent à présent éloigné d'elle. Je l'imaginai adolescent sur un rocher, d'où il se préparait à plonger. C'est à peu près ce que font les gens à leurs débuts, prenant leur élan et se jetant sans réfléchir dans la vie. L'essentiel, pensai-je, c'est qu'il n'y ait pas de rochers, et surtout de ces récifs sournois dont on réchappe difficilement.

« Cela ne devait pas être gai dans les montagnes », me contentai-je de dire.

« Oh, on s'habitue, répondit-il de son air insouciant, c'est la même chose quand on entre à l'École. »

Je pensai aussitôt, malgré moi, aux fameuses brimades ; j'avais entendu des histoires effroyables et je le questionnai sans détours.

« Il y avait pire », dit-il, et pendant une fraction de seconde son visage s'assombrit. « Le plus dur, c'était l'uniforme. J'étais gêné de circuler en ville. J'avais l'impression que les gens voyaient avant tout mon képi et mon épée, plutôt que ce que j'étais réellement. Les premières fois, c'était dur. »

« Bizarre, dis-je, j'ai entendu dire que les élèves officiers sont particulièrement fiers de porter l'uniforme. C'est sans doute l'École elle-même qui le leur apprend ».

« Je ne sais pas, dit-il, comme hésitant à accuser la matrice dont lui-même était sorti, en tout cas c'est quelque chose qui prend forme quand on est encore élève et se développe à mesure qu'on monte les échelons. Un militaire qui ne porte pas l'uniforme, on le repère de loin. C'est comme s'il se promenait tout nu. »

« Vous-même, avez-vous cette impression ? » demandai-je, car je ne l'avais bien sûr jamais vu sans uniforme, et je lui servis son café apporté entre-temps par Sofia.

Il me jeta d'abord un regard soupçonneux, mais bien vite il sourit avec l'air désarmant d'un garçon de vingt ans.

« Moi, dit-il, j'aime bien sortir en civil. Surtout quand j'accompagne des femmes. Avec les femmes j'aime bien être comme j'étais avant d'entrer dans l'Armée. Ces choses-là, j'évite absolument de les mélanger. »

« Vous avez parfaitement raison. Mais, dis-je pour

le ramener à notre sujet, vous me parliez de la frontière où vous avez servi... »

« C'est juste », fit-il, changeant aussitôt de langage pour reprendre un ton officiel. « Vèria mis à part, j'ai servi à la frontière en tant que chef de section, c'est-à-dire sous-lieutenant, puis chef de compagnie une fois devenu lieutenant. Postes avancés ou non, régiments, bataillons, responsable du magasin, des cuisines, patrouilles, postes de guet... » Et il énuméra plusieurs exemples.

« Aviez-vous beaucoup de travail là-bas ? Comment supportiez-vous l'isolement ? »

« Il y avait du temps libre et la vie au grand air. Beaucoup d'officiers allaient à la chasse, d'autres jouaient au football ou au jacquet, ils lisaient le journal, rarement, des livres quelquefois. »

« Quels livres ? » lui demandai-je avec intérêt.

« Des livres comme *Les chacals rouges* – en principe, ce qui nous était fourni par le Quartier général. »

« C'était ce genre de chacals que vous chassiez ? » lui demandai-je.

Il me regarda, pris au dépourvu.

« Bon, bon, dis-je comme pour le rassurer. Lisiez-vous seulement ces livres-là ? Ou d'autres aussi, *"incompatibles avec la qualité d'officier"* ? »

« Dès que je me trouvais à Thessalonique en permission, se mit-il à raconter, j'achetais des livres selon mes goûts. Mais je prenais soin de les glisser sous des couvertures d'autres livres. Et cela, tous ceux qui lisaient dans l'unité le faisaient systématiquement, et presque tout le monde le savait, mais personne ne cherchait à contrôler. C'est ainsi que j'ai lu *À l'ouest rien de nouveau* sous le titre de *La clef des rêves*, et *Nana* de Zola sous la couverture de l'*Histoire de la Deuxième Guerre mondiale* de Churchill. Un jour que nous étions dans un coin de montagne près d'Èdessa, sous la tente, j'ai trouvé dans une boîte de grenades vide un livre intitulé *Jardinage*. Je l'ai pris, curieux que j'étais de tout lire, mais j'ai remarqué avec étonnement qu'il s'agissait d'une biographie de Nijinski ; vous savez qui je veux dire, le danseur russe... »

« Je sais, bien sûr », dis-je, pris à mon tour au dépourvu. « Et quel pouvait être l'intérêt d'un tel livre ? » lui demandai-je, curieux de ce qu'il répondrait.

« Ah, pour moi du moins, dit-il, un grand intérêt. J'ai fait la connaissance d'un art tel que la danse, que j'ignorais ; parallèlement toute une époque s'est déroulée devant moi, et en plus... », il hésitait à me le dire, « ... cela m'a beaucoup intéressé de voir comment cet homme est arrivé à la folie. Quelle souffrance inhumaine ! » Sa voix était devenue plus forte, plus aiguë. Ses yeux luisaient, il transpirait légèrement.

« En effet, approuvai-je en hochant la tête, il semble malheureusement qu'il était malade mental ».

« Et par malheur je n'ai pas pu le lire en entier, poursuivit-il plus calmement, un jour que j'étais de service avec le livre sur les genoux, un Commandant de l'unité est entré. Quand je me suis levé pour le saluer, le livre a glissé par terre. Il s'est penché pour le ramasser. "Jardinage ? a-t-il demandé. Montre-moi ça que je voie comment on extermine les mauvaises herbes, ça m'intéresse." Je le lui ai donné. "Qu'est-ce que ça veut dire, a-t-il dit bientôt, qu'est-ce qui est écrit là-dedans, qui c'est ce type, Nijinski, un Russe ?" "Oui, un Russe." "Alors il est sûrement communiste ! Tu n'as pas honte ? Un officier de l'armée grecque, lire des livres pareils, c'est pas permis !" et il m'a fait tout un sermon. J'ai essayé de le persuader que Nijinski n'avait rien à voir avec la politique, au contraire, que c'était un danseur, et même un très grand. "Un danseur ? a-t-il dit, c'est encore pire ! Un pédé !" »

Sur ce mot il se mit à rougir. Je lui fis signe de continuer.

« Il m'a dit : "Que je ne te revoie plus avec de tels bouquins dans les mains !" »

« Et voilà, dis-je, une première occasion d'exterminer les mauvaises herbes ».

Et comme il gardait le silence, visiblement heurté par ma remarque, je lui dis pour détendre l'atmosphère :

« Cela me rappelle le temps où je faisais mon service dans le 20ᵉ régiment d'artillerie à Halkida. À nous aussi on interdisait les livres et les journaux – les feuilles vénizélistes surtout. Mais beaucoup lisaient en cachette, et moi-même, pourtant élève dans un milieu anti-vénizéliste, c'est précisément ces journaux-là que j'avais tendance à lire. »

« Vraiment ! » s'écria-t-il, et son visage s'éclaira. « À quelle époque était-ce, monsieur ? »

« Trente-cinq, trente-six, sous Metaxas. La discipline était dure, et le climat d'ensemble encore plus dur. La suspicion était partout, même entre collègues, il était rare qu'on puisse parler ouvertement. Moi, bien entendu, je me consacrais aux livres de ma spécialité, aussi personne n'avait-il rien à me reprocher. Une fois seulement, je me souviens, je me suis fait prendre un livre de poésie à la main – c'était du Sikelianos, je crois – si bien que j'ai été automatiquement réprimandé. »

« J'imagine ! » dit-il, comme si lui-même venait de se faire prendre à lire Sikelianos ou Cavafy. « Et que vous ont-ils dit à propos des poètes, vous ont-ils puni ? »

« Moi non, jamais ! » me hâtai-je de lui affirmer, car sa voix s'était chargée d'angoisse. « Par bonheur ils n'étaient pas bien malins : évidemment, puisqu'entre autres réformes imposées par Metaxas, il y avait celle-ci : les postes seraient tenus par des officiers incultes, mais fidèles au régime. »

« Chez nous aussi c'était un peu la même chose ! », me dit-il, soudain mis en confiance. « Tous ceux qui sont sortis de l'École pendant les années de la Guerre des Brigands étaient des gens très peu instruits. Leur école, ç'avait été le front. Au point qu'aujourd'hui même ils n'ont rien d'autre à leur actif. D'ailleurs il existe une catégorie de sous-officiers, que nous appelons les "bourriques", et qui sans avoir fait d'études ont occupé des postes-clefs fin quarante-huit et en quarante-neuf ; aujourd'hui certains d'entre eux ont atteint des grades supérieurs. Rendez-vous compte qu'en 1949 il y a eu exceptionnellement deux promotions à l'École, 1949 A et 1949 B. Avec ces gens-là, vous vous en doutez, on ne peut pas s'entendre. Ils nous considèrent comme instruits et cela, dans l'Armée aujourd'hui, c'est une tare. »

Cet homme-là, pensai-je, est d'une maturité étonnante, malgré son comportement juvénile. Je regrettais l'ironie qui s'était parfois glissée dans mes propos. J'étais fort curieux d'apprendre sur quoi il trébuchait, ce qui, aux yeux de ses supérieurs, le faisait paraître indiscipliné. Car je ne pouvais imaginer qu'un livre de jardinage, mauvaises herbes ou pas, suffise pour asseoir une accusation contre lui.

« L'une de ces *bourriques* vous a-t-elle personnellement persécuté, en sabotant votre feuille de notes ? » demandai-je.

« Non, dit-il sans me regarder. Au contraire, j'ai un Commandant qui me soutient. C'est lui qui a obtenu ma mutation au Centre de Sélection à Haïdàri où je sers actuellement. Nous nous sommes trouvés ensemble à plusieurs reprises dans des postes et des positions avancées. C'est un homme inculte, bizarre si vous voulez, mais qui pourtant... »

« Comment s'appelle-t-il ? » l'interrompis-je.

« Kakoulàkos. Commandant Stamàtios Kakoulàkos », dit-il, comme s'il se présentait au rapport.

« Un homme du Magne, sûrement. »

« Il est originaire d'un village de là-bas. J'ai servi sous ses ordres, et quand on l'a nommé commandant et muté à Athènes, il a demandé et obtenu de me prendre avec lui. »

« Alors, dis-je, c'est peut-être de lui que viennent les bonnes appréciations de votre dossier. »

« C'est probable. »

« Bien. Mais alors, qui s'est donné le mal de surveiller vos lectures, et qui vous a collé l'étiquette de joueur de cartes ? Votre chef de corps qui signe ici, qui est-ce ? »

« Le Lieutenant-colonel Psaròpoulos. Un officier remarquable. »

« Est-il possible que ce soit lui ? »

« Impossible. »

« Alors c'est quelqu'un d'autre. Ce ne peut pas être un fantôme. Et même si c'en était un, il porterait sûrement l'uniforme ! »

Son regard, soudain, parut gagné par l'indifférence. Quand il ne se sentait plus directement concerné, il pouvait devenir distant et profondément distrait.

« Réfléchis un peu, lui dis-je. On ne peut pas t'avoir collé cette infamie brusquement, sans raison. » Je lui parlais comme à un écolier. « Il doit y avoir quelque chose, une rivalité sans doute. C'est en me disant tout que tu peux m'aider. »

Sans le vouloir je l'avais tutoyé. Je vis dans ses yeux que cela lui plaisait. Du coup il s'installa plus confortablement dans son fauteuil.

« J'ai beau chercher, monsieur, je ne vois pas », et

son regard pensif parcourait les murs de la pièce, les photos, les diplômes.

« Cet homme, ce Kakoulàkos, dis-je, quand est-il sorti de l'École ? »

« Vers quarante-cinq, quarante-six. »

« Il a combattu ? »

« En tout cas il s'est trouvé à la frontière. Il parle souvent de ce temps-là. »

« Et qu'en dit-il ? »

Il me regarda, l'air gêné.

« Il ne livre jamais ses opinions. »

Je restai muet pour l'inciter à poursuivre.

« Il est spécial, je dois le dire. Il est parfaitement calme, et tout d'un coup sa manie le reprend : il critique tout – une négligence, une erreur, le moindre détail. Il commence à punir ses inférieurs, pour *salut non conforme, port du béret non réglementaire* ou *bouton non boutonné* », et sur ce, brusquement détendu, il se mit à rire.

Je ris moi aussi.

« Alors, dis-je, il n'est peut-être pas seulement nerveux, mais également dur au fond. »

« Il se braque sur des choses qui pour lui ont de l'importance. »

« C'est peut-être qu'il se sent inférieur. Tu viens de me dire qu'il est fondamentalement inculte. Comment cela affecte-t-il son attitude envers toi, qui le domines si nettement ? »

« Il n'y a jamais fait la moindre allusion. Dès que je sens qu'il est troublé par un sujet qu'il ne connaît pas bien, je m'arrange pour ne pas en parler. »

Il y avait autre chose dont il ne parlait pas, y compris à lui-même. Je m'efforçai de l'aider.

« Le livre sur Nijinski, c'était lui ? » demandai-je.

« C'était lui. »

Il avait baissé les yeux.

« A-t-il mentionné depuis, devant toi, cet épisode ? »

« Une fois. Un jour où nous avions un cas d'homosexualité à la compagnie, il m'a dit : "Tu as vu ce qu'ils font, tes Nijinski ?" »

« Et qu'as-tu répondu ? »

« Je n'ai pas su quoi répondre. À l'armée, vous savez, aller avec un homosexuel et l'humilier, cela constitue un titre de gloire. »

Je me sentis gêné à mon tour.

« Enfin, nous sortons du sujet, dis-je. Pourtant peut-être qu'au fond il est jaloux de toi ? Pour n'importe quelle raison, mettons à cause de ta culture, enfin, de ce que tu es... »

« S'il est jaloux, pourquoi a-t-il insisté pour me prendre à Athènes ? »

« Je ne sais pas, c'est moi qui te le demande. »

« En tout cas, je connais des gens qu'il ne jalouse peut-être pas, mais qu'il a bien repérés. C'est une habitude dans l'Armée. Beaucoup ont peur d'être supplantés pour une raison quelconque par un autre. Alors ils s'arrangent pour le neutraliser. »

Sans qu'il s'en rende compte, sa voix s'était teintée d'une imperceptible rudesse.

« De quelle façon ? »

« De toutes sortes de façons, secrètes le plus souvent, et rien ne parvient à nos oreilles. Il y a une caste d'officiers qui veille sur la hiérarchie. »

« Y a-t-il un rapport entre eux et l'IDEA dont nous discutions l'autre jour ? »

Il me jeta un regard furtif, et poursuivit comme si je n'avais rien dit.

« Le problème, c'est l'engorgement de la hiérarchie, l'*embouteillage*, comme nous disons. Quand, par exemple, on a au sommet un général de corps d'armée ou de division, et que les autres en dessous restent bloqués à attendre sa place. Mais cela vaut pour tous les échelons. Il y a aussi, poursuivit-il comme s'il décidait enfin de me confier les secrets militaires, le Deuxième Bureau, l'A2 comme on l'appelle, qui joue le rôle de la police secrète. Et aussi, d'ailleurs, les services secrets qui contrôlent tout le reste. »

« Ce Kakoulàkos pourrait-il en faire partie ? »

« Non, dit-il. Mais au fait, tout est possible. Moi qui vous parle, je pourrais aussi en être. »

« Toi, ça m'étonnerait fort, dis-je en souriant, et pour te le prouver, j'ai demandé ton dossier à ton unité. Je l'ai là devant moi. »

Il me regarda fixement, et pâlit.

« Non pas que tu ne sois pas en mesure de fournir des renseignements, le devançai-je, comme tu l'as d'ailleurs déjà fait ; mais comme nous avons cette possibilité, en tant que Conseil d'État, j'ai pensé qu'elle m'aiderait davantage, et toi en même temps. J'espère que tu me comprends. »

« Puis-je fumer ? » demanda-t-il.

Je lui fis signe que oui.

« Il est écrit textuellement... » et je me penchai sur le dossier, en redressant mes lunettes : « "A quitté le bureau d'un supérieur en refermant bruyamment la porte avec fracas plusieurs fois de façon répétée" », et je souris sans le vouloir devant tant de beau langage.

Il fumait gauchement, comme si la fumée l'étouffait ou comme si la cigarette remplaçait pour lui quelque chose dont il ressentait vivement le manque.

« Était-ce dans le bureau du Commandant, lui demandai-je, de ce Kakoulàkos ? »

« En effet », dit-il en se redressant, me regardant droit dans les yeux, comme au rapport.

« Sans vouloir paraître indiscret, comment cela s'est-il passé, dans quelles conditions ? Il devait y avoir quelque chose d'anormal. »

« Il m'avait offensé. »

Nous nous regardions à travers la fumée de sa cigarette.

« Mais c'est chose courante à l'Armée », dit-il en reprenant son air insouciant.

« Qu'est-ce qui est chose courante ? »

Il avala sa salive.

« Eh bien, voyez-vous, nous parlions de femmes. »

Il avait de nouveau imperceptiblement rougi.

« Bien sûr, dis-je, les hommes parlent des femmes partout. Même au Conseil d'État. »

Il rit un instant, soulagé. Et retrouva son sérieux aussitôt.

« C'était une habitude que nous avions gardée d'avant, dit-il, quand nous restions des semaines et des mois isolés dans des postes sans voir un chat, mâle ou femelle ; j'avais l'habitude alors de lui raconter mes aventures du temps où j'étais civil, et lui, généralement, mettait ma parole en doute : "Toi, petit morveux de dix-huit ans, comment tu pouvais trouver tant de femmes ?" Dans ces moments-là nous n'avions plus ce rapport de supérieur à inférieur. Nous étions deux hommes qui parlions de femmes. Lui soutenait que j'en rajoutais et il n'arrêtait pas de me démentir catégoriquement. »

« C'était la vérité ? » demandai-je.

Il avait baissé le front et celui-ci brillait avec une blancheur désarmante.

« Dans ma jeunesse, j'étais instable, dit-il, parfois plus qu'il ne faut. Mais c'était comme si cela ne venait pas de moi... »

Il hésitait à s'exprimer. Je lui fis signe de continuer.

« Eh bien, c'est elles qui me provoquaient. Je ne pouvais pas mettre le pied dans une boîte de nuit ou un bar sans qu'elles m'accostent et me fassent des propositions. Et quand je leur laissais comprendre que je n'avais pas d'argent, alors c'est elles qui me facilitaient les choses. »

Je le fixai en silence. Je n'avais pas le moindre doute quant à ce qu'il racontait. Au contraire, il en cachait peut-être une partie.

« Et Kakoulàkos, demandai-je, il n'a pas de succès auprès des femmes ? »

« Non, répondit-il impulsivement, car en fait il est... » il hésita de nouveau, « très laid, et en plus, autant que je sache, il ne connaît rien aux femmes. »

« À ce point-là ? »

« Non, n'allez rien imaginer, s'écria-t-il aussitôt, au contraire, c'est un coureur. Seulement il n'a pas la manière, il ne sait pas parler. C'est un homme lourd, ce qu'on appelle un plouc. »

« Belle description », dis-je.

Il allait protester, mais je l'interrompis.

« Par conséquent, si l'on en juge par tes succès, sa jalousie est plutôt justifiée. »

Il ne dit rien. Il se pencha pour regarder la tasse de café, qui ne lui montrait qu'un vague reflet de son visage.

« Nous n'avons pas eu, dit-il, d'autres conflits sur le plan personnel. Sauf le jour où s'est produit quelque chose du même genre, au secrétariat de la compagnie. »

« Mais, si je ne me trompe, remarquai-je, pendant ce temps vous étiez tous deux à Athènes, libres de voir toutes les femmes que vous vouliez. »

« C'est juste, dit-il, je venais de me fiancer à l'époque, et cela, Kakoulàkos l'ignorait. »

« Tu le lui avais caché ? »

« Je revenais de l'instruction des recrues dont j'étais chargé, commença-t-il, c'était midi, je m'apprêtais à me laver, à me changer pour arriver à temps à la cantine, quand j'ai entendu le Commandant qui m'appelait. Il était debout devant la porte de son bureau, tout rouge, et semblait souffrir. Il m'a crié, "Où étais-tu, où te caches-tu, je t'ai cherché toute la journée ! Qu'est-ce que tu fais ce soir ?" Je lui ai dit que j'avais du travail. Ce n'était pas la première fois qu'il me demandait qu'on sorte ensemble à Athènes. Mais c'était la première fois que je refusais. Il a semblé déçu. Il m'a dit "Dommage, ce soir j'ai deux chouettes pépées !..." »

Il me jeta un coup d'œil pour constater l'effet de ces expressions tirées de son dialogue avec le Commandant. Je lui fis signe de poursuivre.

« Ce soir je ne peux pas, mon Commandant, ai-je répondu, je suis désolé. Une autre fois..." "Comment une autre fois, a-t-il dit nerveusement, si tu ne veux pas, c'est sûr, c'est que tu as rendez-vous avec une femme." Je lui ai dit qu'en effet, j'avais un rendez-vous. "Et cette femme, c'est qui ?" m'a-t-il demandé, l'air mécontent. "Vous ne la connaissez pas, c'est ma fiancée." "Tu t'es fiancé ?" Il n'en revenait pas. "Oui, j'ai jugé bon de ne pas vous déranger avec mes affaires personnelles." "Me déranger !" Il était furieux. "Tu aurais dû me le dire, un officier doit informer de tout son supérieur immédiat. Tu ne sais pas qu'il faut une autorisation pour se fiancer, ou tu l'oublies ? "Nul ne peut nouer de relations sans y être autorisé." Tu ne connais donc pas les règlements ! Te voilà bientôt Commandant et tu ignores l'essentiel. Tu te conduis comme un sous-lieutenant ! Et tu leur reproches de bloquer ton avancement ! Alors, tu n'as rien à répondre ?" J'ai dit qu'il avait raison, pour en finir, et lui ai proposé des explications que je n'avais pas envie de lui donner. À l'Armée, c'est souvent qu'on n'a pas envie. Alors il s'est fâché encore plus. Il criait : "Tu mens ! C'est pas ta fiancée, c'est une pute, et tu me le caches !" »

Le visage du Capitaine s'était empourpré. On voyait à quel point il revivait la scène.

« Alors, dis-je, tu es parti en refermant bruyamment la porte avec fracas plusieurs fois de façon répétée ! »

« Je l'ai claquée ! dit-il. Mais ensuite nous nous sommes expliqués, j'ai fait des excuses et il m'a dit que vraiment il n'avait pas cru à cette histoire de fiançailles. »

« Il est convaincu maintenant ? »

« Marìa me dit que je ferais mieux de ne plus lui laisser l'occasion de râler. Moi, pourtant, je persiste à penser que c'est là une affaire personnelle. Cela ne concerne que moi. Avec Marìa je suis en sûreté, j'ai trouvé la personne qu'il me fallait. »

Il y avait de nouveau dans son regard une lueur de triomphe, comme quand il défilait dans le couloir du Conseil d'État.

« J'imagine. C'est une jeune femme très sympathique », dis-je, heureux d'avoir cette occasion de dire un mot flatteur sur sa fiancée. « Mais à ton avis, comment cet incident s'est-il retrouvé dans ton livret matricule ? Par hasard ? »

« Je ne sais pas. Je ne suis pas obligé de savoir. Je ne suis plus à la frontière, et je n'ai plus vingt ans. Je m'apprête à me marier le mois prochain. »

Il avait une façon d'écarter le sujet qui nous occupait, comme si à ce moment-là rien ne comptait pour lui, sauf le mariage.

« Je vous félicite. C'est là une réaction adroite. »

Il sourit soudain, comme si une idée lui traversait l'esprit.

« C'est bien ce qu'il faut », poursuivis-je comme pour aider sa pensée. « La réaction à droite, c'est ce qu'il faut dans l'Armée. »

Il éclata d'un rire nerveux. Jamais je ne l'avais vu

rire ainsi. Il semblait souffrir. Nous riions maintenant tous les deux, complices.

« Et cette histoire de jeux de cartes, dis-je quand il fut calmé, sans vouloir t'importuner, qu'est-ce que c'est encore ? J'espère que cela ne t'ennuie pas si je te tutoie... »

« Au contraire, c'est quelque chose qui venant de vous... »

« Alors que si cela vient d'un Kakoulàkos... », dis-je en souriant de nouveau.

« Pas exactement, dit-il en me regardant dans les yeux, encore que parfois j'aimerais bien que nous respections les formes, celles au moins qu'on nous a apprises à l'École. Là-bas le vouvoiement est plus qu'une question de formes ».

Il resta une seconde en suspens, le paquet de cigarettes à la main, silencieux, s'efforçant de résister au désir de la nicotine.

« Dis-moi donc, repris-je, on ne joue jamais aux cartes à l'Armée ? » Car je voulais savoir, moi aussi.

« Ne pas jouer aux cartes ! explosa-t-il. Dans les postes avancés, le soir, quand on n'a rien d'autre à faire, on tape le carton tant qu'on peut. Bien entendu, comme c'est interdit, cela se fait en cachette, mais d'habitude les supérieurs ferment les yeux, sans compter que la plupart d'entre eux adorent faire une partie de poker. C'est ce qu'on appelle une "bombe". On vous demande le lendemain matin : "C'était bien, la bombe ?" »

« Et Kakoulàkos, demandai-je, il pratiquait la "bombe" aussi ? »

« Lui surtout, s'écria-t-il. À la frontière c'est lui qui commençait, et moi je suivais. Je dois dire qu'en jouant il devenait un autre homme, il commençait à jurer. »

« Ce qui est également interdit par le règlement,

remarquai-je. En fait, c'est une belle brute, ton Kakoulàkos ! »

Je le vis se figer brusquement. Comme si je venais de toucher à ce qu'il avait de plus sacré. Mais était-il vraiment si inconscient ? Ou essayait-il de couvrir cet homme ? Ou bien y avait-il là une chose qu'il se cachait à lui-même ?

Je le laissai un peu se calmer. Je voulais fumer moi aussi, mais je me retenais.

« Kakoulàkos mis à part, un autre de tes supérieurs sait-il que tu joues, ou plutôt que tu jouais aux cartes ? »

« Je ne pense pas. Ceux avec qui je jouais alors, là-bas, se comptent sur les doigts d'une main. Je les connais bien. »

« Quand y as-tu joué pour la dernière fois ? »

« À la frontière. »

Une ombre passa sur son visage.

« Non », reprit-il aussitôt, rougissant comme un enfant pris en faute. « Je me souviens maintenant, la dernière fois c'était à Athènes. Ce devait être aussitôt après les élections de 61. »

« Comment cela ? »

« Je dois vous dire que dans l'Armée ces élections avaient semé la panique, poursuivit-il plus calmement. Des bruits couraient sur une éventuelle victoire de Papandrèou, ce qui avait un retentissement terrible chez nous. Les officiers qui soutenaient l'opposition, ouvertement du moins, n'étaient qu'une poignée, un nombre négligeable. Si bien que les autres, c'est-à-dire presque tous, avaient entrepris de mener les élections dans les divers camps militaires et les unités de façon à exclure toute liberté de vote. Kakoulàkos, je me souviens, hurlait sans arrêt : ''Faites ce qu'on vous ordonne, je ne veux pas d'objections... Le chef, le responsable, c'est moi !'' »

« Alors que faisiez-vous ? »

Il hésita un instant.

« Il nous disait de faire faire aux soldats deux ou trois cartes d'identité chacun. Nous avions un photographe installé sur place qui nous tirait le portrait à la chaîne. Je me souviens par exemple que chaque photo coûtait une drachme et demie, qui était déduite de la solde des hommes du rang. Ils recevaient en tout et pour tout cinquante drachmes. »

« Et ils votaient deux fois ? »

« Même s'ils étaient contre, comment faire autrement ? Les punitions pleuvaient. Quant à nous, les officiers, nous n'étions pas épargnés. Il y avait des ordres venus d'en haut, et Kakoulàkos se déchaînait. En ce temps-là nous étions consignés sans arrêt et lui écumait de rage. Enfin les élections sont passées, les étudiants ont commencé à protester et les journaux de l'opposition à parler de "fraude et violence". »

« Nous en étions là quand un soir, je ne sais pourquoi là non plus, dans une ambiance de peur diffuse où les rumeurs se déchaînaient, on nous a fait savoir que nous étions de nouveau consignés. Tous ceux qui étaient de sortie ce soir-là, dont Kakoulàkos et moi, se sont retrouvés coincés. Lui se pomponnait depuis des heures et ne quittait pas le téléphone. La nouvelle imprévue l'a mis dans tous ses états. »

« Tu étais déjà fiancé ? »

« Oui. Je me souviens, j'ai téléphoné à Marìa ce soir-là que je ne viendrais pas. Il devait être neuf heures, nous avions mangé le repas froid que l'Armée accorde aux nouvelles recrues, les fameuses patates à l'eau, et Kakoulàkos bouillait de rage. Il maudissait dieu et diable. "Ils nous enferment comme des bleus, criait-il, parce qu'ils ne sont pas fichus de maintenir l'ordre, ils attendent tout de nous. Ces galons-là", et il se frappait la poitrine, "je ne les ai pas gagnés en me tournant les pouces. Ils ne peuvent pas venir nous boucler à la moindre bricole. S'ils ont peur, on va leur montrer, nous, ce qu'on vaut !... Allez, viens, m'a-t-il dit quand il s'est un peu calmé, viens faire une partie." Il a vu que j'hésitais. Alors il a répété sur un ton de commandement : "C'est moi le chef, le responsable !" tout en battant les cartes. »

« Je n'avais pas joué depuis longtemps et au début je ne faisais que des fautes. Kakoulàkos était satisfait et me traitait d'"incapable", de "blanc-bec", de "kamikaze" et d'autres noms encore. Tout cela sur le ton de la plaisanterie. Mais au bout d'un moment, j'ai commencé à gagner. Alors il s'est mis à grommeler entre ses dents et à me jeter des regards comme si je trichais. »

« Vous aviez misé ? »

« On joue toujours pour de l'argent. Autrement cela n'a pas de sens. »

« Et combien lui as-tu pris ce soir-là, au Commandant ? » dis-je avec un sourire.

« C'était le matin, le jour était levé. Je me souviens de son visage : de basané, il était devenu blême. Je devais avoir gagné quatre cents, cinq cents drachmes à peu près. Mais je n'ai pas accepté de les prendre. Il avait beau insister, je lui disais : "Je ne veux pas". Alors il m'a accusé d'être non seulement un "sacré verni", mais un "bêcheur" en plus, qui jouait au chevalier – "à la graisse de chevaux de bois"... Il m'a dit, c'était lui tout craché : "Tu me prends pour une gonzesse de me traiter comme ça ? Si tu refuses l'argent, tu auras vingt jours d'arrêts. Qu'est-ce que tu préfères ?" J'ai dit : "Les arrêts". »

« Il a dû être fou furieux. »

« Non. Ça l'arrangeait. Il n'a pas eu à donner l'argent. Mais moi je n'ai pas purgé ma peine. Il est allé lui-même l'annuler ensuite. Voilà pourquoi je dis qu'au fond il n'est pas méchant. »

« En tout cas, dis-je, c'est un drôle de type, ce Kakoulàkos. Peut-être devrais-tu être plus prudent avec lui ? Peut-être faudrait-il que tu t'arranges pour te faire muter... Tu as des appuis ? »

« Non, dit-il fièrement, et pour quoi faire ? Je suis content d'être ici, à Haïdàri. S'il n'y avait pas cette affaire d'avancement, je serais même *très* content. En fait je suis certain – je ne sais pas quelle est votre opinion à vous – qu'à la fin tout ira bien, tout s'arrangera. Mais n'est-ce pas ridicule qu'on m'accuse pour avoir claqué une porte, ou pire encore, qu'on me traite de joueur de cartes ? »

Son visage avait rougi. Ses yeux étincelaient. Sa raie était défaite. Des mèches retombant sur son front lui donnaient l'air d'un lycéen. D'un adolescent indiscipliné. C'était curieux à quel point il parvenait à sembler plus jeune que son âge. Son visage n'avait pas une seule ride. Sa barbe, rasée avec soin, laissait une ombre imperceptible sur ses joues. Comme un duvet.

« Dites-moi, monsieur, n'êtes-vous pas d'accord ? »

Il y avait un soupçon de peur dans sa voix.

« Je pense qu'à l'heure actuelle il faut être prudent », et j'allumai une cigarette à mon tour. « On voit et on entend beaucoup de choses. En tout cas, tu te conduis plus innocemment que n'aurait fait un autre à ta place et dans le même grade. »

Il eut un geste d'impatience.

« Pour moi cela ne constitue pas un reproche, dis-je aussitôt pour l'apaiser. Mais indépendamment de tout cela, as-tu envisagé de faire carrière dans le civil ? »

Il ne répondit pas. Son visage avait pris une expression d'apathie muette, comme toujours quand une question lui semblait ne pas le concerner personnellement.

Le beau Capitaine

« Que dirais-tu, insistai-je, de laisser tomber tous ces commandements, et d'entrer bien tranquille dans un service privé ou public, où personne ne pourrait bloquer ton avancement, où même dans les pires conditions tu pourrais te faire une carrière sans ordres ni infractions, ni punitions ? Y as-tu jamais pensé sérieusement ? »

« Non », dit-il d'un ton ferme.

Il avait le regard fixé sur ma bibliothèque, où entre deux volumes de droit rutilants, dépassait un Cavafy ou un Karyotàkis cartonné.

« Je ne veux pas, dis-je, te décourager, j'évoque une solution qu'il serait tout naturel, pour un garçon de ton âge, de choisir. Tu n'es plus désormais un petit provincial sans expérience. Tu connais bien Athènes, tu as les atouts pour réussir un brillant parcours dans la vie civile. »

« En d'autres termes, vous me laissez comprendre qu'il est vain d'insister... » dit-il en éteignant la cigarette qu'il avait fumée jusqu'au bout.

Il était légèrement pâle.

« Non, non, ce n'est pas du tout ce que je voulais dire, m'écriai-je, je te le propose comme une alternative – un repli stratégique, diraient tes officiers d'état-major. »

De nouveau il se tut. Son visage s'était soudain assombri. Une pensée avait dû lui traverser l'esprit, qu'il tenait obstinément cachée. Je savais maintenant que ce serait peine perdue de chercher à la connaître. Un peu de la fierté, de l'arrogance que lui avaient prêtée pour moitié la jeunesse et pour moitié l'Armée, était revenu sur ce visage aux lèvres fines, au nez droit, au front lisse et calme. On y voyait sa beauté figée à son zénith, comme si elle ne pouvait plus progresser au-delà.

« Non, repris-je, en aucune façon je ne veux dire que

77

tu as commis des erreurs ; au contraire, tu es menacé par les erreurs des autres ! C'est pour cela que je te parle ainsi. Toi, tu peux le comprendre. »

Il me regardait sans me voir. Et tandis qu'il se taisait, les mâchoires serrées, ruminant comme entre des meules sa colère ou son dépit – je ne sais lequel des deux –, je poursuivis.

« Eh bien, puisque tu n'envisages pas de démissionner, arrange-toi pour te faire muter. Va-t'en loin de cet homme. Vous n'êtes pas faits l'un pour l'autre. Tu ne le comprends pas ? Au besoin, je peux intervenir et m'occuper de te faire aller ailleurs. »

C'était là une idée que j'avais lancée sous l'empire de l'émotion, sans l'avoir soumise au contrôle de la raison. Je ne savais même pas si je pouvais vraiment l'aider. Cet homme avait le don d'entraîner son interlocuteur. À voir l'air fier dont il m'avait fixé, j'eusse très bien pu l'imaginer à la tête d'une patrouille de choc en temps de guerre, ou dirigeant une unité d'assistance en temps de paix. Il aurait pu, il aurait dû être un chef – et non cet homme accablé sous l'opprobre du refus d'avancement. Ce qu'on lui avait fait me semblait une infamie.

Une partie de mes pensées dut parvenir jusqu'à lui, car je le vis lever les yeux et m'observer. Je distinguai dans son regard les sentiments de respect ou même d'affection qu'inspire l'aîné à son cadet et qui, lorsque soudain ils s'unissent ou se confondent, deviennent alors un mélange dangereux. Comme le feu et la poudre. Je sentais de nouveau que ni l'espace entre nos chaises, ni même le fossé de l'âge ne l'empêcheraient éventuellement de se lever et de me serrer avec passion la main. Le capitaine d'infanterie pouvait se métamorphoser d'un seul coup en incendiaire, en révolutionnaire.

Le beau Capitaine

J'éteignis ma cigarette et me levai pour rapporter le plateau et les tasses à la cuisine.

À mon retour je le trouvai agenouillé devant mes disques. Il les examinait avec une curiosité doublée d'une étrange dévotion.

« Tu écoutes de la musique classique ? »

« Uniquement à la radio, et encore, à l'occasion. » Il avait sorti du rayon une symphonie de Beethoven et la tenait à la main. Je me souviens bien, c'était l'*Héroïque*. « Et en plus, ajouta-t-il, je risque de sembler ridicule aux yeux des collègues ».

« Mais pourquoi ? » lui demandai-je naïvement.

« Parce qu'ils n'écoutent que de la chanson ! »

Que répondre ?

« Bon, lui dis-je en souriant, il est temps que toi au moins tu te mettes à la musique classique. Tu vois qu'il y a toujours moyen... »

Il me regarda en souriant lui aussi. Je ne sais comment il avait compris ma phrase, mais je ne sais pas moi-même comment je l'avais dite.

Quand nous nous relevâmes tous deux, au lieu de l'expression pensive qu'auraient pu laisser mes conseils déposés en lui, je distinguai de nouveau sur ses traits cet enthousiasme qui balayait tout et m'entraînait dangereusement, moi aussi, avec lui.

« Ne t'inquiète pas, dis-je, tout va bien se passer. Me permets-tu de te faire un cadeau à mon tour ? »

Et prenant l'*Héroïque*, je la lui tendis.

« Ah non, monsieur, je ne peux accepter », dit-il, troublé, bredouillant presque.

« Écoute, dis-je, si je te donne ce disque, c'est que j'ai envie que tu l'aies. »

Nous étions tous les deux debout au milieu de la pièce.

« Et sache bien que de mon côté je ferai tout ce que je pourrai, n'en doute pas ! »

79

Je crus qu'il allait se jeter dans mes bras. La lumière que la jeunesse mettait sur son visage prenait une couleur mythique, je pensais à Adonis qu'Aphrodite aperçut nouveau-né, cacha dans une boîte et chargea Perséphone de garder. La déesse des Enfers, ouvrant la boîte, vit le bel enfant et ne voulut pas le rendre. Il fallut l'intervention de Zeus pour qu'Adonis puisse vivre à moitié sur terre, à moitié dessous. Mais jusqu'à quand tiendrait-il ?

« Eh bien, dis-je sans le regarder, nous en reparlerons. »

Nous étions debout face à face.

Je dus faire effort pour mettre fin à ce dialogue ; j'appelai Sofia, la laissai le reconduire dans le couloir. Et je le vis partir, le képi sous le bras, l'*Héroïque* à la main.

« Bonne chance, murmurai-je, tu le mérites. »

Quand la porte se referma, j'envoyai Sofia dormir et restai profondément troublé dans mon fauteuil à ruminer tout ce que nous avions dit, m'efforçant d'arriver à une conclusion raisonnable. Je tournais et retournais les pensées dans ma tête, mais n'arrivais qu'à voir son visage. Paroles, conseils, échanges de vues, tout s'était envolé. Il avait tout balayé. Il semblait enveloppé d'une lumière aveuglante. Une lumière morale. Au point que même aujourd'hui où je te parle, malgré tout ce qui s'est passé entre-temps, j'ai toujours cette lumière avec moi pour me souvenir de lui.

10

La requête du Capitaine suivit le chemin habituel. Timbres, reçus, droits d'enregistrement, droits de reproduction, timbre de plaidoirie, sans compter les droits à la Caisse de Prévoyance des avocats, avec la signature de l'avocat mandaté. La même procédure ; le même visage impassible du Sénateur, qui sous le casque gris de sa perruque laissait apparaître un éclair de triomphe ; et puis, dans mon bureau, l'ombre du Chameau qui entrait et sortait, un document à la main, comme s'il arpentait les sables du désert.

Nous en étions là, et je continuais de me pencher sur mes dossiers, quand je reçus un matin dans mon bureau la visite de notre président. Un problème s'était présenté, je me trouvais être au courant, il venait s'informer. Nous discutions, quand brusquement il se tourna vers moi :

« Dis-moi, ce Papandrèou, qu'est-ce qu'il nous prépare ? »

Je restai à le regarder, un peu surpris.

« Un an et demi à peine après les élections, voilà qu'il en demande de nouvelles. Sais-tu », et il montra du doigt le plancher, « qu'ils se battent à l'Assemblée ? »

« Et au-dehors, monsieur le Président, trouvai-je l'audace de dire, les universités sont en ébullition ».

« Bien entendu, dit-il en hochant la tête, et cette organisation d'étudiants, comment diable s'appelle-t-elle, l'EPEE...

« L'EFEE, monsieur le Président... »

« L'EFEE, soit – elle ne me plaît pas du tout. Je crains fort qu'avec leurs manigances les uns et les autres ne nous mènent dans l'impasse. Je crains en

outre que cette situation ne s'éternise », et il m'inter-
rogea du regard par-dessus ses lunettes.

Il était rare qu'on reçoive la visite du président ;
saisissant l'occasion, je lui exposai mes propres crain-
tes, lesquelles, bien entendu, n'avaient rien à voir avec
la politique, mais concernaient cette obstination du
commandement militaire qui faisait traîner l'affaire du
Capitaine.

« Ces gens sont lamentables, monsieur le Président,
lui dis-je à mon tour, comment l'État peut-il fonctionner ainsi ! »

Il me regardait en silence, derrière ses lunettes à
double foyer.

« Dans un sens, répondit-il en déplaçant malaisément son corps dans le fauteuil, ce que tu dis là est
juste. Mais fais donc toi-même l'exposé de l'affaire,
nous verrons ce que nous en penserons lors des débats.
D'ailleurs cet exposé, selon toute vraisemblance, sera
le dernier que tu feras en tant que maître des requêtes.
Ta promotion est imminente. Toi, au moins, nous ne
bloquerons pas ton avancement. Es-tu d'accord ? » Et
il lâcha un petit ricanement qui ressemblait à un
sanglot.

Je le remerciai.

« Monsieur le Président, dis-je, le voyant prêt à
partir, il faut que nous trouvions une issue à ces
histoires de militaires. Vous avez appris, sans aucun
doute, ce qui vient de se passer à la Première Section »,
et je lui rapportai une autre affaire à laquelle l'Armée
se trouvait mêlée.

Il ricana de nouveau.

« Oh, il ne faut pas croire, dit-il, plus ces gens-là
insistent, plus le Conseil d'État s'obstine. Nous sommes comme Papandrèou. Notre travail consiste aussi
à jouer ce rôle. Un rôle ingrat parfois, je le reconnais,

mais que nous devons jouer jusqu'au baisser du rideau. »

« Si vous me permettez, dis-je au risque de sembler monotone, ici nous jouons une pièce coupée et cousue aux mesures des militaires. Un peu comme leur uniforme : rigide, irréprochable, avec des galons rutilants et des chaussures à fortes semelles. »

« Ah, comme cela est bien dit ! » fit-il en se renversant dans son fauteuil, comme s'il était au théâtre.

« J'aimerais savoir, poursuivis-je, le refus d'avancement du Capitaine en question cache-t-il une nouvelle justification, ou est-il le nouveau vêtement de l'ancienne ? » Et je lui exposai quelques idées. « Nous devons décider, monsieur le Président, dis-je pour conclure, sommes-nous en face d'un moribond, ou d'un malade qui a des chances de vivre ? »

Il ricana encore.

« Je vois que tu es resté le même idéaliste incorrigible, à l'imagination galopante... Il me semble que ce fameux Conseil des Promotions ferait bien de bloquer ton avancement à toi aussi, pour "comportement indiscipliné vis-à-vis des Lois" » !

Je le regardai, je crois, comme avait coutume de le faire mademoiselle Phòni, d'un air vaguement incrédule, et sans doute ironique, car il reprit :

« Cher collègue, c'est peine perdue de discuter à propos de quelque chose qui, tôt ou tard, nous fera subir sa torture, à nos propres yeux en tant que juges, et aux yeux du public en tant que membres du Conseil d'État. Pourquoi se tourmenter dès maintenant ? »

J'eus même l'impression qu'il voulait me tapoter l'épaule, d'un air protecteur, comme je l'aurais fait à l'occasion avec mon Capitaine.

« Il ne s'agit pas seulement, si vous me permettez, monsieur le Président, du tourment des juges, mais du tourment de tous ceux qui ont recours à nous comme des malades à une source thermale. Nous devons en être conscients. »

Il baissa un peu ses lunettes et me considéra.

« Ah, tu t'introduis là dans des questions de psycho-pathologie... Nous, mon cher, nous sommes des juristes. Heureusement. Nous disposons de solutions, réelles ou possibles, que les psychologues ignorent totalement. Chez eux règne une obscurité profonde. Tandis que nous avons la vague lueur... j'allais dire, de la lune ! Et cela me rappelle que tu es aussi un peu poète – c'est du moins le bruit qui court dans nos cercles. »

« Lecteur de poésie seulement, monsieur le Président. »

« Oh, cela revient au même, répondit-il, veille simplement à ce que ton exposé ne soit pas... poétique. »

Ainsi se termina notre dialogue. Comme se terminent en Grèce tous les dialogues entre supérieur et inférieur. Par une gifle au son harmonieux, et l'on tend l'autre joue.

11

À l'époque dont je parle, entre l'hiver et le printemps soixante-trois, parallèlement à mon travail de justice quotidien, une chaîne d'obligations – visites à des amis, réceptions, premières officielles au Théâtre Royal, représentations dans le sous-sol du Théâtre d'Art – ne me laissaient que de très rares moments de solitude et quelques heures seulement pour la musique, tard le soir dans ma retraite. Mes contacts avec le Capitaine se bornaient à des conversations officielles au téléphone. Je l'informais du développement de l'affaire, et il me transmettait les salutations de Marìa.

« Ils donnent du Tennessee Williams, me téléphonait mon amie Mme F., si on y allait ? »

C'était une femme d'âge mûr, cultivée, discrète. Au milieu de cette société d'hommes qu'était le Conseil d'État, sa présence le soir à mes côtés apportait une détente et comme un souffle d'air frais.

« Allons-y », répondais-je, car je me fiais à ses goûts.

La représentation commençait, et aux moments les plus intenses, quand le héros se laissait gagner par l'émotion, je voyais le Capitaine à sa place, j'imaginais ce qu'il aurait fait. Dans les réceptions, le visage d'un beau garçon qui nous servait me rappelait aussitôt ses traits et le soir, quand j'écoutais sur mon électrophone les *Vêpres de la Vierge*, le même visage m'apparaissait immaculé, baigné de lumière.

Peu à peu, sans que je m'en rende compte – comme une maladie qui tarde à se déclarer, alors qu'on sent déjà les premiers symptômes –, son visage devint le compagnon permanent de ma pensée. Partout où j'allais, je le traînais avec moi comme une phrase musicale ou un vers gravé dans la mémoire. J'avais l'impression qu'il me confiait ses pensées. Tant qu'il était sérieux et solennel, il m'inspirait de la crainte ; mais quand il riait, escomptant visiblement une fin heureuse pour son affaire, il m'en coûtait des pensées qui allaient souvent jusqu'à l'insomnie.

« Encore distrait ! » disait mon amie Mme F., et elle me prenait le bras en riant.

Sommes-nous dignes, pensais-je, assis dans ma bibliothèque le soir, dignes de la confiance de tous ceux qui ont recours à nous, et que nous avons le pouvoir d'aider à réussir ? Nous tous, qui écoutons et jugeons de loin leurs affaires à travers les parois de bois de notre Arche ? Nous qui ne risquons rien, si ce n'est peut-être, en partie, notre réputation professionnelle – tandis qu'eux jouent tout à pile ou face, leur famille, leur travail, leur existence elle-même !

« Vous m'avez l'air fatigué, me dit Sofia un soir, peu avant l'été, vous devriez peut-être vous coucher plus tôt ? Un peu de vacances vous ferait du bien. Pourquoi n'allez-vous pas vous reposer à la campagne, ou dans une île ? »

C'était, je me souviens, une nuit de mai soixante-trois, singulièrement chaude, et je rêvais à des nuits d'été sur des terrasses d'hôtels à Égine ou Poros, loin des tribunaux et des procédures, en compagnie d'un livre de Rilke.

Pourquoi m'arracher à mes heures
pâles et bleues ?
Pourquoi m'entraîner dans le tourbillon
Et la confusion scintillante ?
Je ne veux plus voir votre folie...
Je veux, tel un enfant, malade dans sa chambre,
solitaire, avec un sourire secret,
doucement bâtir des jours, et doucement des songes. [1]

«Pourquoi restez-vous des heures dans votre bureau ? », reprit la vieille femme en entrant dans la pièce. « Et cet électrophone qui marche tout le temps, ça non plus, ce n'est pas bon pour vous. »

Si seulement il marchait toute la journée, pensai-je ; et, remerciant Sofia, je lui promis d'aller bientôt me coucher.

Dix minutes n'étaient pas écoulées, j'avais mis de l'ordre dans mes papiers, éteint l'électrophone et rangé les disques dans leurs pochettes, quand j'entendis sonner le téléphone.

C'était plus un cri qu'une sonnerie.

1. Rilke, *Premières Poésies*. Traduction : Maurice Betz.

Surpris de ce qu'on m'appelle si tard, je décrochai
avec une curiosité mêlée d'appréhension.

C'était le Conseiller D. qui s'excusait de me déranger en pleine nuit.

« Tu es au courant ? dit-il. Tu as entendu la radio ? »
Je devinais ses traits sévères et ses tempes grises.

Non, je n'avais rien entendu.

« Lambràkis a été grièvement blessé à Thessalonique [1]. Tu sais qui je veux dire, le député de la Gauche
Démocratique Unie. Thessalonique est en ébullition.
La victime serait dans un état désespéré. On dit que
c'est un accident de la circulation, mais le bruit court
qu'il s'agit d'un meurtre... C'est un meurtre ! »

Je restai silencieux.

« Tu m'entends ? » demanda la voix.

Des parasites brouillaient la ligne.

« C'est vrai, poursuivit-il. Des gens proches de lui
me l'ont confirmé. »

Et il me raconta l'histoire du triporteur, qui se
répandait alors de bouche à oreille, et qui devint si
connue par la suite qu'il est inutile de t'en parler.

Pour moi, ce soir-là, le sommeil vint très tard. Les
étoiles dehors brillaient, solitaires. Il m'était difficile
de suivre tant de choses en même temps. Les images
se mélangeaient en moi, tantôt j'entendais crier les
freins d'un triporteur, tantôt je voyais le visage du
Capitaine tout nimbé de confiance et de sérénité,
tandis que des phrases musicales traînaient encore
dans ma tête.

Au matin je m'éveillai avec un goût âcre dans la
bouche.

Dès que j'entrai dans les bureaux, j'entendis parler
de Lambràkis. Dès lors, et pour longtemps, ce nom

1. Lambràkis : l'épisode est raconté dans le roman de V. Vassi-
likos, *Z*, porté à l'écran par Costa-Gavras.

étendit son ombre sur le couloir et les bureaux, rejetant au second plan les affaires courantes, cassant l'ordre et la routine.

12

Le jour de l'audience fut bientôt fixé. C'était une journée de juin soixante-trois, d'un éclat si provocant dans nos sombres couloirs qu'il me vint spontanément l'idée qu'elle s'était faite l'alliée du Capitaine. Seuls lui et l'été pouvaient se montrer si insouciants.

Entrant le matin dans nos bureaux, je m'arrêtai au greffe.

« Eh bien, mademoiselle Phòni, d'où vient le vent aujourd'hui ? Quelle belle journée », et je me tournai vers les autres employés, « c'est le moment d'aller à la campagne ! »

« Si nous y allons, viendrez-vous avec nous, monsieur ? » me demanda le Chameau d'une voix voluptueuse.

« Monsieur a une autre campagne au programme », daigna déclarer le Sénateur, levant vers moi son regard perçant. « Au fait, me demanda-t-elle, comment voyez-vous les choses, monsieur, êtes-vous optimiste quant à l'affaire du Capitaine ? »

« Du *beau* Capitaine, mademoiselle Phòni », la repris-je, et la laissant médusée je poursuivis impétueusement mon chemin vers mon bureau.

Tandis que nous revêtions nos toges dans le vestiaire, le conseiller D. s'approcha de moi. Il était comme à l'accoutumée, sec, très brun, les tempes agressivement grises comme s'il les avait teintes.

« Peut-être es-tu déjà informé », dit-il.

« Non. De quoi ? » répondis-je en lissant mon collet.

« Sartzetàkis a ordonné la mise en détention provisoire du général de la gendarmerie et du chef de la police de Thessalonique. Au fait, tu te souviens de Sartzetàkis ? Ce type corpulent, au large front, à la chevelure épaisse, avec ce curieux regard qui semblait vouloir te transpercer ? Tu vois qui je veux dire. Eh bien c'est lui qui fait tout, qui pousse l'enquête à fond pour retrouver les instigateurs. Voyons maintenant les autres, comment ils vont réagir... » Puis, me trouvant l'air distrait et pensif, il reprit : « Allez, aujourd'hui c'est toi qui parles. Tu as la part du lion, tu vas pouvoir t'en donner ! »

L'affaire du Capitaine était la deuxième à l'ordre du jour ; puis venait une autre, et ce serait tout pour ce jour-là. Il n'y avait là aucune affaire importante – du moins de celles traditionnellement jugées importantes – et nous comptions tous, sans le dire, avoir fini à temps pour aller prendre l'air, les uns au Zappion ou à Phàliro, les autres chez eux devant leur fenêtre ouverte.

« J'espère ne pas devoir être long, répondis-je à mon collègue. D'ailleurs c'est une affaire connue. Nous aurons vite fait. »

Je le vis s'éloigner, satisfait, dans sa toge longue jusqu'à terre liserée de velours bleu au col et aux manches, et s'apprêtant à mettre son collet.

Moi, au contraire, j'espérais qu'il me serait possible de parler suffisamment. J'avais décidé qu'il me fallait livrer bataille et gagner. Je misais aussi sur la présence d'un avocat du Corps des Avocats de l'État.

« Cette fois, me dis-je, ils ne peuvent laisser passer l'occasion. Aussi vais-je leur montrer notre point de vue. Qu'ils l'apprennent une bonne fois pour toutes. »

Une effervescence, inhabituelle dans les annales du Conseil, s'était emparée de moi. Il y avait sans cesse un pli de la toge qui refusait d'obéir à mon corps, et le collet, lui non plus, ne tenait pas en place.

« Allons, monsieur », entendis-je du fond de ma rêverie ; c'était madame Melpomèni.

Notre Muse, plantée devant moi, m'arrangeait hâtivement. C'était sûrement au tour d'un conseiller quelconque, et elle attendait avec impatience de se consacrer à lui.

« Vous voilà prêt », dit-elle.

Ainsi expédié, je me retrouvai sur la scène.

Ce que je remarquai d'abord sur les bancs du public, ce fut l'absence de tout représentant des Avocats de l'État. Sans doute sont-ils en retard, me dis-je pour tenter d'expliquer la chose. Et aussitôt, j'aperçus le Capitaine.

Il était assis au premier rang et j'eus l'impression, je ne sais pourquoi, qu'il avait dû venir tôt le matin. Il regardait sa montre à tout moment et tournait les yeux vers la porte, derrière lui, par où entraient les retardataires. Dix minutes à peine venaient de s'écouler, l'examen de la première affaire avait déjà commencé, quand je remarquai une ombre féminine se glissant par la petite porte, et j'entendis le grincement caractéristique des sièges.

Le Capitaine sembla se calmer, après s'être penché vers la femme pour lui dire quelques mots, des reproches sans doute. Marìa portait encore la même robe noire, comme si elle n'avait cessé d'être en deuil, et regardait dans notre direction de l'air de quelqu'un qui entend une langue étrangère. Le Capitaine, au contraire, buvait nos paroles. Je ne sais dans quelle mesure il comprenait, mais il nous regardait avec la même détermination ardente, le même optimisme – permanent désormais – que s'il s'était agi de sa propre affaire. Aucune nervosité, aucune distraction, le même uniforme impeccable, les chaussures brillantes, les cheveux bien coiffés comme toujours. Manquait seulement son air de premier communiant. Il avait, au contraire, la mine assurée de l'homme qui sait ou devine ce qui va suivre.

Quand la sonnette du président retentit, je vis le Capitaine assis, toujours souplement immobile, qui contemplait le président comme si c'était la pyramide de Chéops. Le trac, c'est moi qui l'avais. Tel un acteur qui entre en scène pour la première fois, je dus m'éclaircir la gorge deux ou trois fois avant d'articuler le moindre mot. Je dus même être un peu plus lent dans mon débit, si bien que mon voisin le maître des requêtes G. se gratta.

Bientôt ma voix prit son rythme habituel. Je parlai assez longtemps, mais en gardant l'œil sur ma montre que j'avais détachée de mon poignet et posée sur le pupitre. Et quand je vis le président tourner la tête dans plusieurs directions comme si son collet l'étranglait, je conclus :

« Suite aux annulations répétées, par le Conseil d'État, de la décision du Conseil des Promotions pour cause de « justification insuffisante », il appert que l'Autorité militaire n'a pas fourni de justification satisfaisante au refus d'avancement du requérant. Par conséquent je propose l'annulation de la décision pour cause d'abus de pouvoir ainsi que l'acceptation de la requête » – j'avais eu soin, tel un ténor d'opéra italien, de terminer en fanfare.

Un instant la salle resta silencieuse. Je vis certains de mes collègues échanger des regards. Le président brisa le silence en posant les questions d'usage. Puis, après s'être assuré qu'aucun avocat représentant le requérant ou l'autorité militaire n'était présent, il déclara la clôture des débats.

En sortant de la salle d'audience, j'étais certain de trouver le Capitaine devant mon bureau.

Il m'attendait devant la porte de chêne, avec à côté de lui, s'appuyant sur son compagnon, sa fiancée.

« Es-tu satisfait ? » lui demandai-je, après avoir salué la jeune femme.

« Vous avez beaucoup fait pour nous », dit-il.

Dans sa bouche, ce n'était pas une simple figure de style. Il débordait tout entier de reconnaissance et de jeunesse. On eût dit que les débats l'avaient tenu sous le charme, et que le vocabulaire juridique, loin de l'ennuyer, avait ravivé son ardeur.

« À quand la noce ? » demandai-je, pour changer de sujet.

Ce fut elle, Maria, qui répondit.

« Dès que l'affaire sera réglée. Il faut voir d'abord comment les choses évoluent, puis nous agirons en conséquence. »

Il y avait dans sa voix un ton pragmatique, décidé, que je n'aurais pu qualifier d'optimiste. On y sentait la prudence d'une personne qui a les deux pieds sur terre. Lui, en revanche, semblait ne plus toucher le sol. Il émanait de lui tant de lumière que je me disais, c'est impossible, un tel éclat ne saurait durer long-temps. À côté de lui la jeune femme, pourtant mi-gnonne, semblait insignifiante.

« J'espère que tout ira bien, leur dis-je, et que vous fonderez bientôt votre foyer. »

Ils me remercièrent tous deux, et quand j'eus dit au Capitaine de me téléphoner au bout d'un laps de temps raisonnable, ils me saluèrent et s'apprêtèrent à partir. La poignée de main du Capitaine, surtout, était pleine de chaleur et en même temps de force. C'était la main d'un homme d'argile, qui voulait s'en servir comme d'une main de fer. Je les vis s'éloigner dans le couloir. La jeune femme avançait posément, l'air bien sage, et il marchait devant – il ne marchait pas vrai-ment. Il volait.

13

Je ne t'accablerai pas de détails inutiles. Nous étions à la fin de mille neuf cent soixante-trois. Les élections avaient donné la victoire, d'une courte tête, à l'Union du Centre, et le chef de l'ERE s'était envolé pour l'étranger sous un pseudonyme. Dans les couloirs et les bureaux les discussions étaient à leur comble. Les uns parlaient d'«Éducation Gratuite», et d'autres, plus nombreux, pavoisaient après le doublement des salaires des magistrats. Je voyais des collègues indifférents à l'Union du Centre, ou qui l'avaient critiquée, en devenir soudain les partisans fervents et optimistes.

« Enfin, quelqu'un s'occupe de nous, il était temps ! » disait le maître des requêtes B., en faisant claquer ses lèvres sensuelles. « Je vais bien y réfléchir : aux prochaines élections, il n'est pas exclu que je vote Papandrèou. »

Les prochaines élections, en effet, n'étaient pas loin.

Entre-temps, tout le monde savourait la phrase que Papandrèou avait prononcée à l'Assemblée, qualifiant la Justice de « rempart de la Démocratie ».

« Comment te sens-tu dans le rôle du rempart ? » me demandait le maître des requêtes G. dans le vestiaire, en mettant son collet sous l'œil de madame Melpomèni, prête à intervenir au moindre écart vestimentaire.

« Attention ! Celui-là, les remparts, il les prend d'assaut », intervint le conseiller E., à la taille de moineau et au nez en bec de perroquet. « Tu comprends, il est en train de forcer les mystères de la hiérarchie militaire ! »

Je hochai la tête et fis mine de sourire, moi aussi.

« Mais le plus important vous a échappé », dit le conseiller A. en hochant sa tête chenue. « Le roi Paul est gravement malade, on garde le secret, mais c'est sûr et certain, je le tiens de sources proches du Palais. »

Un tourbillon d'événements et de rumeurs balayait nos couloirs, où un soleil d'automne affaibli tentait en vain d'éclairer le ténébreux bâtiment qui nous abritait ainsi que l'Assemblée.

« Désormais tout va se passer au mieux, j'en suis sûr », me dit le maître des requêtes G. en essuyant ses lunettes avec le bas de sa toge. « Et ton Capitaine, tu verras, ajouta-t-il, me voyant soucieux et guère atteint par ce vent d'optimisme, lui aussi, en fin de compte, obtiendra justice... Tiens, voilà qui va t'intéresser : l'autre jour j'ai vu chez un disquaire l'intégrale des sonates de Beethoven par Schnabel – une pièce rare, tu le sais ! »

Peu avant Noël, le gouvernement Papandrèou-Venizèlos avait démissionné, et celui de Paraskevò-poulos, chargé des affaires courantes, venait de prêter serment, promettant des élections irréprochables.

« Et vous, qu'en dites-vous, monsieur le Président ? », me dit un jour Mìtsos, le fleuriste en plein air de la place Sỳntagma. « Qui va gagner les élections ? Le vieux Papandrèou ? avec combien de voix ? »

« Nous verrons, dis-je. Et ta famille, comment vont tes fils ? »

« Moi, je pense, répondit-il, que le Vieux va les enfoncer ! »

Je regardais avec insistance un vase plein d'œillets rouges. Il le remarqua aussi.

« Fais-m'en un petit bouquet », dis-je.

« Vous voyez, semblait-il dire tout en les emballant, petit à petit vous changez d'opinion, vous aussi ! »

Et en vieux de la vieille qu'il était, il me cligna de l'œil.

Au réveillon du Nouvel An, par contre, chez le professeur L., j'eus la prudence d'offrir à la maîtresse de maison un bouquet de roses blanches, toutes blanches.

Acteurs connus, gens de la bonne société, universitaires, intellectuels se pressaient dans les salles, échangeant politesses et points de vue. Presque tous portaient des toasts et pariaient sur le prochain score de l'Union du Centre. Seuls quelques-uns, envieux, tissaient leur toile dans les coins sombres. « Mais à supposer qu'il revienne au pouvoir, disait S., le politicien bien connu, je parie qu'il ne pourra le garder longtemps. » Et le professeur d'université L., croquant un amuse-gueule : « Quelle maîtresse inconstante que le pouvoir ! » Au milieu des rires et des taquineries, les bouchons de champagne sautaient, assourdissants. Ils m'évoquaient des coups de canon lointains. « Tu vas voir, me disait à l'oreille mon ami le diplomate R., Unetelle viendra ce soir sans son mari. On raconte, think of it !, qu'elle s'est mise avec son domestique, un petit jeune. Mais elle n'a pas osé l'amener ici, bien sûr – what a pity !... » et buvant à ma santé, il partit en ondulant porter la nouvelle ailleurs.

Dans le scintillement de la mousse et des coupes en cristal de Bohême, qui heurtaient des lèvres bavardes et avides, je déambulais parmi les salles en jetant parfois un coup d'œil à ma montre, et mes livres, ma musique m'apparaissaient comme un paradis perdu. J'examinais surtout les visages des jeunes. Ils étaient très peu nombreux. Discrètement assis dans les coins, ils attendaient que nous, les personnes d'âge mûr, donnions le signal du départ. J'avais l'impression de me trouver dans un asile de vieillards où se seraient glissés quelques enfants. Une jeune fille surtout, au regard fatigué sous ses longs cils – de vrais cils –, attira mon attention.

Elle nous regardait, immobile, l'air désapprobateur, comme si toute la soirée n'était qu'une mascarade à laquelle nous serions venus déguisés avec nos beaux costumes et nos cravates. Sa robe de mousseline laissait paraître la ligne calme et précise de son corps. C'était une robe enfilée sans peine et sans angoisse, qui n'était là ni pour soutenir, ni pour cacher. La jeune fille semblait être seule.

Que cherchait-elle dans cette salle aux lustres futiles, qu'était-ce donc qui l'avait attirée là ? Elle était sûrement la fille d'un directeur de journal, ou la nièce d'un député, peut-être du vieux marivaudant auprès de cette dame qui jouait les jeunesses. Le regard de la jeune fille, posé sur nous, semblait parcourir quelque Musée des Horreurs.

Mon Dieu, me disais-je, normalement cette fille devrait être avec un garçon dans une surprise-partie à danser le rock n'roll, ou du moins dans une boîte de nuit de Plàka pour chanter elle aussi des chansons Nouvelle Vague, ou fredonner autre chose, ce « Garçon qui sourit », tiré d'une pièce à succès[1], mais qui sur les lèvres des jeunes prenait une autre dimension. Beaucoup en venaient à dire qu'elle avait été écrite spécialement à propos de Lambràkis. Tout à ces pensées, je m'avançai vers elle et lui offris une coupe de champagne. Elle me sourit, mais sans l'accepter. « Je ne bois jamais », dit-elle. Et elle retourna dans sa solitude.

Ce matin-là, le premier jour de 1964, je rentrais avec des amis dans leur voiture à travers Athènes désertée, éclairée par endroits seulement, où passaient des groupes de retardataires sortant d'un réveillon dans leurs beaux habits fripés, quand soudain m'apparut en pensée le visage du Capitaine. Il vint me trouver dans le refuge de la voiture qui me ramenait chez moi, avec sa désarmante sincérité, sa jeunesse, et l'on eût dit

1. La pièce à succès : *L'otage* de Brendan Behan.

qu'il me réprimandait pour quelque chose que je savais et que pourtant je refusais de croire.

À moitié étourdi par le champagne, lourd d'avoir trop mangé, je me couchai aussitôt. Dehors déjà le jour pointait. J'allais faire un vœu pour la nouvelle année, mais le sommeil m'enveloppa avant que je puisse le formuler.

14

L'Épiphanie arriva, puis la Saint-Antoine et la Saint-Athanase coup sur coup, puis le mois de janvier s'en alla et le froid aussi. Il me resta mon travail au Conseil d'État, et la routine quotidienne.

En février nous eûmes des élections, et l'Union du Centre remporta triomphalement, si je me souviens bien, 53 pour cent des voix, balayant les derniers doutes. Le second gouvernement Papandrèou, qui suivait de peu le premier, prêta serment, contrairement à l'usage, au palais de Tatoï.

« Tu vois que j'avais raison, me chuchota le conseiller A. pendant une suspension d'audience, lissant sa vénérable chevelure, cela veut dire que le roi Paul est gravement malade, autrement il se serait déplacé ; peut-être qu'au moment où je te parle », et il baissa encore la voix, « il est déjà mort. »

Je le voyais sans l'entendre. Le mot « mort » s'était imprimé en moi sans rapport avec notre sujet.

En février, de même, avec retard à cause des élections, notre décision fut prononcée, et j'eus l'agréable tâche de l'annoncer au Capitaine. Elle était de nouveau favorable. Elle annulait le refus d'avancement, jugeant les justifications fournies par l'Armée « insuffisantes ».

Ce mot était maintenant collé à l'affaire comme une étiquette. Le Capitaine pouvait avoir claqué la porte au nez du Commandant, passé des heures à jouer aux cartes, se livrer à des lectures et des discussions « incompatibles avec sa qualité d'Officier », ses feuilles de notes continuaient à décrire un « officier instruit, courageux et honnête ». Cela suffisait, je pense, pour nous donner l'occasion d'accepter sa requête, et aux militaires celle de le promouvoir.

« J'espère, lui dis-je au téléphone, que tu seras Commandant quand nous nous reverrons. »

Il demanda à me voir, et moi, prétextant un travail urgent, je lui laissai comprendre qu'à l'avenir, peut-être, nous nous rencontrerions dans des conditions plus favorables.

Je le devinais silencieux à l'autre bout du fil, et je gardais le silence moi aussi, vaguement triste.

« Je te souhaite une belle carrière, dis-je, et cette fois je n'accepterai pas de cadeaux », faisant allusion à la corbeille de fruits secs. « Et qui sait, il se peut même que ces choses-là nous aient porté malheur », ajoutai-je pour le dissuader totalement.

Il me promit d'obéir, mais moins d'une semaine plus tard on frappa à ma porte et un soldat remit à la vieille Sofia un paquet. Cette fois ce n'étaient pas des figues et des noix. C'était le coffret des symphonies de Tchaïkovski. Comment lui était venue cette idée ? Où avait-il déniché une telle musique, cet officier familier des frontières et des tavernes populaires où l'on ne jouait que du bouzoùki ? Et Dieu sait ce que cela lui avait coûté, car les officiers de l'Armée grecque ne roulent pas sur l'or, bien entendu, pour ne rien dire des frais de procédure... Je laissai de côté l'aspect esthétique – je n'étais pas un chaud partisan dudit compositeur – et lui téléphonai. Je le réprimandai, tout en le remerciant chaleureusement. Je lui dis même, si je me souviens bien, que « de tels désordres étaient inadmissibles et qu'ils risquaient de révéler chez lui, à mes yeux, une nette tendance à l'indiscipline ». Il rit de sa voix chaude et sonore. Je le priai d'accepter l'ajournement d'une invitation que je projetais de faire chez moi, invoquant de nouveau une surcharge de travail. Je raccrochai sous l'emprise de sa voix qui transmettait si bien, même par le fil du téléphone, la chaleur et la jeunesse de son caractère.

Le soir (nous étions déjà début mars), j'ouvrais le coffret et feuilletais la notice. Parfois je mettais sur la platine la Sixième symphonie, connue sous le nom de *Pathétique*.

Je ne te cache pas que cette audition me déprimait, me causait une certaine lassitude, mais quand l'œuvre arrivait au troisième mouvement, *Allegro molto vivace* – une marche pleine d'entrain, presque effrénée – je ne tenais plus dans mon fauteuil. Mes jugements sur cette musique – étant habitué aux quatuors et aux sonates pour clavecin – n'avaient plus cours, je me sentais transporté, prêt à tirer l'épée pour livrer bataille. Inévitablement, cet *allegro* s'était associé à son visage. J'entendais la musique et je pensais à lui. Tel un adolescent, je me sentais délivré de mes malheurs, et j'avais peine à contenir mon enthousiasme.

Alors voilà, me disais-je, il te faut cette musique pour te secouer, toi autour duquel tant de choses se passent, changements, remaniements, séismes et naufrages, tandis que toi tu restes enfermé dans ta coquille. Mais une autre pensée venait me rappeler à la sagesse. Pourquoi t'agiter ? Comme si tu ne faisais pas ton devoir en jugeant selon ta conscience, en jouant un rôle actif dans la société ! À quoi bon pour toi les galopades et les marches militaires – tout cela c'est pour les très jeunes, mais toi, hélas, tu es dans un âge avancé...

« Elle joue fort, cette musique. » Sofia entrait de temps en temps dans la pièce et me regardait tout en mettant la table.

Quand la marche prenait fin, je soulevais le bras de lecture et arrêtais la symphonie. En infraction aux règles du genre, le dernier mouvement était lent, *Adagio lamentoso* selon l'indication du compositeur, et marquait l'œuvre de sa tonalité sombre et funèbre. Non, je n'avais aucune envie de l'écouter.

Je mangeais tout en bavardant avec Sofia.

« Tu sais ce que j'aimerais ? lui dis-je, maintenant que nous entrons dans le Carême ? Un peu de hareng, de tarama, et un petit tour dans une île ! »

Ce soir-là, je me vis le jour du Lundi Pur ; j'étais allé avec d'autres Athéniens, selon la coutume, sur la colline de Philopàppou lancer des cerfs-volants. Il faisait grand soleil, les rires fusaient dans l'air, quand soudain mon cerf-volant se prit dans des fils électriques. Je m'efforçais de le décrocher, quand un jeune homme proposa de m'aider. Il était très jeune et me parut beau dans ses habits du dimanche, son rire débordait d'une sorte d'insouciance et nous attrapâmes le fil ensemble pour décrocher le cerf-volant. Alors, brusquement, comme dans un court-circuit, le soleil s'éteignit, le jeune homme disparut, les rires aussi, tout sombra.

15

En dehors de l'amertume qu'il me causait, mon métier m'apportait aussi des joies. J'avais obtenu mon avancement et reçu les félicitations des milieux juridiques, des amis et relations. Certaines amies, épouses d'hommes politiques et de directeurs de banque, m'envoyaient des fleurs et des cartes de visite cornées ; de plus, j'avais désormais les moyens d'acquérir une voiture et venais d'engager un chauffeur. Chaque matin je suivais l'itinéraire des rues Souidìas, Marasli et du Patriarche Joachim, et au tournant de l'avenue de la Reine-Sophie le bâtiment du Vieux Palais apparaissait devant mes yeux, avec ses fleurons pareils à des créneaux, dans toute sa splendeur. « À présent je suis une pierre de l'édifice, moi aussi », me disais-je avec une fierté contenue ; à l'entrée, au greffe, j'étais salué par le « Bonjour, monsieur le Conseiller » des huissiers et des secrétaires ; « Bonjour, monsieur le Conseiller », disait aussi le Chameau en apportant les dossiers dans mon bureau. Il restait là à m'admirer comme si j'étais une statue, un mélange de héros national et de bienfaiteur. « C'est bon, je te remercie, lui disais-je, je n'ai plus besoin de toi. » « Bien, monsieur le Conseiller, tout de suite, monsieur le Conseiller », et il faisait marche arrière en se dandinant.

Nos Muses elles-mêmes semblaient tout sourire avec moi : Clio qui de ses impalpables mains avait cousu ma nouvelle toge, et Melpomèni qui me faisait longuement tournoyer dans le vestiaire comme un danseur étoile, avant de me laisser entrer en scène. « Un instant, monsieur le Conseiller. Deux minutes, monsieur le Conseiller » — car j'avais moi aussi un ourlet à mon col ; et aux manches, au lieu de bleu, du velours noir. Choses bien futiles, diras-tu, mais qui ne cessaient pourtant de chatouiller la vanité que tout homme nourrit en lui et qui le berce.

Seule la ténébreuse Phòni me contemplait derrière les requêtes entassées sur son bureau, les yeux réduits à deux minces fentes, comme des crevasses de l'enfer.

« Félicitations, monsieur le Conseiller, bonne chance pour la suite ! »

Et ce vœu dans sa bouche sonnait comme une malédiction.

Heureusement que j'avais chez moi Sofia pour me ramener sur terre. Elle me nourrissait toujours à mes heures, s'occupait de moi sans changer ses habitudes, il lui arrivait même de me gronder pour quelque étourderie, si j'oubliais de bien plier mon pantalon ou si je renversais de l'eau dans la salle de bains. Mon nouveau titre, elle s'en moquait royalement.

Et la vie continuait.

D'autres demandes d'annulation, d'autres requêtes submergeaient le Conseil d'État et m'absorbaient tout entier. En même temps d'autres événements sur la scène politique nous amenaient à parler d'eux nous aussi, en coulisse, dans nos bureaux et nos couloirs.

« Toi qui passes pour un spécialiste en matière militaire, m'aborda un jour dans le vestiaire le conseiller E. au nez en bec de perroquet, comment juges-tu cette nouvelle décision de Papandrèou ? »

« Laquelle ? » demandai-je, car je ne pouvais me tenir informé de toutes les décisions des chefs politiques.

« Tu n'es pas au courant ? Il refuse de remplacer le haut commandement par des officiers démocrates. Sakellariou est parti, c'est entendu, et Yennimatas a pris sa place, mais cela ne veut rien dire. C'est la base qui est pourrie, tu dois le savoir mieux que moi. »

« Peut-être que le Palais... » commençai-je.

Et la vie continuait.

À cette époque, en soixante-quatre si je me souviens bien, je m'étais lancé dans les mondanités ; l'été, à l'Odéon d'Hérode Atticus, je ne manquais pas un concert. Je choisissais d'habitude la compagnie de mon amie Mme F., aux robes vertes et bleues. Elle n'avait personne dans sa vie, et nous satisfaisions ainsi notre goût du théâtre, de la musique, outre le goût que nous avions d'être seuls tous les deux. Une femme discrète, comme je te l'ai dit, avec laquelle, autrefois, nous avions envisagé de vivre ensemble, mais le projet ne s'était pas réalisé. Nous étions restés bons amis.

À l'un des concerts on donna la *Pathétique*. « L'orchestre se laisse aller ce soir, me dit Mme F. Comme il jouait mieux l'an dernier dans la même symphonie ! » Je haussai les épaules. Laisser-aller ou pas, cela me faisait de la peine d'entendre cette musique au milieu de dames en décolleté et de messieurs en costume sombre. Comme si une chose que je m'étais mis à aimer, que je goûtais le plus souvent dans la solitude, se retrouvait la proie des fauves dans un cirque romain. Au théâtre d'Hérode, on y était presque... Sur ses gradins, où se rassemblaient autrefois quelques fanatiques de la musique et du théâtre, se pressait maintenant une foule turbulente. Je ne pouvais plus supporter ces cris des gens pour faire bisser un morceau, et encore moins s'agissant de cette marche en plein milieu de la *Pathétique* : ils brisaient l'unité de l'œuvre. Ce bis me laissa vaguement déprimé, et après l'*Adagio lamentoso*, prétextant un léger malaise, je quittai mon amie.

Au lieu de rejoindre la traditionnelle taverne à Plàka, je rentrai chez moi et restai dans mon bureau, l'humeur très sombre, avec dans l'âme un obscur pressentiment. Je voyais mes disques et me disais que si les œuvres de Tchaïkovski étaient jouées au théâtre d'Hérode, les miennes restaient sur des rayons.

Et le Capitaine, pensai-je avant de me mettre au lit, que devient-il ? Je ne l'avais vu ni entendu depuis longtemps. Peut-être, pensai-je, est-il déjà Commandant.

15

C'était, je crois, l'automne soixante-quatre — il y avait eu les événements à Chypre, et le gouvernement venait d'envoyer une division sur l'île, habillée en civil comme des touristes. Je tenais le journal *To Vima* ouvert sur mon bureau, ayant repoussé les dossiers.

« Et si, pensai-je alors, le Capitaine était maintenant à Chypre ? » Cette division, il avait sûrement très envie d'en faire partie. Je l'imaginais tenu à l'écart par ses chefs et plein d'amertume envers les hommes.

Un soir j'eus envie de lui téléphoner. Mais que lui dire ? « Non, pensai-je, mieux vaut ne pas m'en mêler. » Les réactions de cet homme avaient quelque chose d'imprévisible. Laissant de côté l'actualité, je m'absorbai dans la lecture de l'*Enéide*. La lueur de la lampe tombait sur les pages du livre, dessinant un cercle. J'en étais à la fameuse plainte de Didon,

Mon hôte, à qui m'abandonnes-tu au moment que je meurs ?

quand j'entendis le téléphone.

Sofia décrocha.

« C'est une voix de femme, dit-elle, je n'ai pas demandé le nom », et elle éloigna l'écouteur en attendant ma réponse.

Tu aurais dû la connaître : elle était d'une extrême discrétion, et toujours, au fond d'elle-même, elle nourrissait l'espoir qu'un jour ou l'autre je trouverais l'âme sœur. « Mais jusqu'à quand je vais vous faire la lessive et la cuisine ? » avait-elle coutume de dire. « Je suis vieille, je vais bientôt mourir. Vous avez besoin d'une bonne épouse. Mais attention, disait-elle en agitant l'index, j'ai dit ''une *bonne*'', pas une de ces fofolles... À ce compte-là, vous auriez meilleur temps à rester célibataire ! » Et c'est ainsi que je le suis resté.

« Est-ce une voix connue ? » demandai-je.

Elle fit signe que non.

J'allai au téléphone. Au début je ne compris pas.
J'entendis « Marìa » et mis quelques secondes à saisir.

« Bonsoir, que se passe-t-il ? dis-je alors, comment
va le Capitaine ? »

Le ton de sa voix m'avait inspiré de l'inquiétude.

« Il est malade, dit-elle, on l'a hospitalisé. »

« J'espère que ce n'est pas grave. »

« Il n'a rien d'organique. Le médecin parle de
troubles nerveux. »

Je restai un instant silencieux. Je ne sais pourquoi je
repensai aussitôt à ces opérations militaires de 1949
auxquelles il n'avait pas pris part.

« Et pour l'avancement, où en est-on ? »

« Je ne sais pas, dit-elle d'un ton mystérieux, il vous
le dira lui-même ».

« Transmettez-lui, je vous prie, mes vœux de
meilleure santé. »

Je voulais raccrocher, mais sa voix me retenait ;
comme si elle tentait de me dire une chose, et n'osait
pas.

« M'est-il possible d'agir pour lui ? » demandai-je.

« Certainement, dit-elle, mais ce ne sera sans doute
pas facile pour vous, monsieur ».

« Je vous écoute. »

« Il a demandé à vous voir. »

Je laissai passer un instant.

« Où l'a-t-on envoyé ? »

« À l'hôpital 401. »

« C'est bon, je vais essayer, dis-je. Je ne suis pas sûr,
mais je ferai tout mon possible. Quelles sont les heures
de visite ? »

Elle me les donna.

Je raccrochai et restai les yeux dans le vague. Cela
me semblait étrange. Ce garçon-là, lui surtout, souf-

frir de troubles nerveux... Pour moi quelque chose n'allait pas.

Je mis des jours à me décider. Tantôt je reportais la visite en prétextant diverses tâches, tantôt je pensais que je n'étais pas obligé, qu'en fait j'étais mal parti si je me laissais entraîner ainsi avec tous ceux qui avaient recours à nous. Mais je me disais alors : « Je ne peux pas le laisser tomber. Si lui me doit de la reconnaissance, moi je lui en dois bien autant. »

J'hésitais depuis plusieurs jours, lorsqu'un matin, en arrivant à mon bureau, je fus arrêté dans le couloir par Phòni.

Il était rare de trouver notre Sénateur au milieu du couloir pendant ses heures de travail. Elle avait quelques dossiers sous le bras, mais son attitude n'était pas celle de quelqu'un qui vaque à ses affaires. Elle semblait guetter quelque chose.

« D'où vient le vent aujourd'hui, mademoiselle Phòni ? » demandai-je quand nous nous fûmes salués.

« Comme d'habitude, monsieur le Conseiller », répondit-elle, sibylline. « Voulez-vous passer par le greffe deux minutes ? »

Je la suivis, comme on suit le destin.

« Asseyez-vous, dit-elle de son air le plus poliment officiel, voulez-vous jeter un coup d'œil à cette requête ? La voici, avec son dossier. »

Je m'assis et sortis mes lunettes.

Elle se mit à écrire, mais son regard vigilant m'épiait.

Pour la troisième fois le Capitaine avait recours au Conseil d'État pour demander l'annulation d'un jugement du Conseil des Promotions. Cette fois, pourtant, il n'était plus question de refus d'avancement. Le requérant était prié de « faire valoir ses droits à la retraite ».

Je dus rester bouche bée. Les yeux de mademoiselle

Phòni m'examinaient sans expression. Des yeux de devin aveugle.

Je retirai mes lunettes et regardai cette femme. J'ai dû rarement regarder ainsi quelqu'un, car elle se troubla et soudain ses mains se mirent à trembler.

« J'ai pensé que cela pouvait vous intéresser, dit-elle, puisque vous vous êtes occupé de l'affaire. »

Une voix nasale et sifflante, le visage blanc comme un linge ; on eût dit que d'un moment à l'autre tous ses cheveux allaient tomber, et qu'on verrait la boule nue de son crâne.

« Elle est là depuis longtemps ? » demandai-je, à propos de la requête.

« Quelques jours », avoua-t-elle, en mordant sa lèvre inférieure comme pour la faire saigner.

« Quel dommage ! » s'efforça-t-elle de dire.

Mais elle ne pouvait plus cacher ses sentiments. C'étaient les sentiments de triomphe d'une femme privée des joies les plus simples, les plus terrestres que la nature offre aux humains.

Elle était toute rouge. Moi aussi sans doute. Au fond de la pièce, les gratte-papier grattaient ; dans le Jardin Royal un vent léger agitait les cimes des arbres. On entendait au loin une fanfare militaire. C'était peut-être l'accueil d'un personnage officiel, ou un dépôt de gerbe. À mes oreilles, pourtant, cela sonnait comme une marche funèbre.

« Fermez cette fenêtre, je vous prie », et sans rien ajouter, refermant le dossier, je sortis en laissant claquer la porte.

Dans le couloir, abordé par un collègue, je dus me forcer pour lui rendre son salut. Seul dans mon bureau je me mis à faire les cent pas. J'avais des sentiments mélangés : colère envers ceux qui s'apprêtaient si indignement à le renvoyer de l'Armée, mais aussi culpabilité.

« Tu as laissé cet homme isolé, sans défense, dans une salle de l'Hôpital Militaire. »

Voilà ce qu'une voix intérieure me reprochait.

Je connaissais bien cet hôpital pour y avoir fait quelques visites, et je peux te le décrire. Un fouillis de bâtiments, néo-classiques bien sûr, aujourd'hui abandonnés, presque en ruines – quand il sont encore debout –, dont la vue nous cause un plaisir esthétique, mais totalement inadaptés à leur fonction, puisque pour passer d'une aile à l'autre il fallait sortir et errer dehors, dans des passages étroits, jusqu'à trouver la bonne porte. Et tout cela dans l'odeur du formol qui affolait l'odorat et parmi une foule de jeunes conscrits qui jouaient le rôle d'infirmiers, avec une poignée de médecins militaires qui luttaient désespérément pour faire face. – Non, il fallait absolument que j'aille le voir. Tout retard supplémentaire avait la gravité d'une désertion.

Ce matin-là me parut interminable. Dans la salle d'audience je passais de la somnolence à l'énervement. Encore heureux que ce jour-là, je n'aie pas eu d'affaire à présenter. Mais pour entendre et suivre la procédure, il fallait une attention soutenue. Au lieu de cela, j'étais hanté par les trompettes funèbres entendues ce matin-là.

À midi je déjeunai en vitesse, pris un taxi et vers quatre heures j'étais à l'hôpital. Je perdis un quart d'heure à errer de salle en salle, cherchant le service de psychiatrie, me heurtant à des infirmiers lymphatiques aux gestes efféminés, interrogeant des médecins qui répondaient dans le vague, pour aboutir auprès d'un malade visiblement atteint, qui sortait même, peut-être, d'un électrochoc, et qui me répondit :

« Hein, qui ça, le Capitaine X... Mais il est parti ! On l'a emmené ce matin. Et moi, quand va-t-on me tirer de là ? » Et avant que j'aie eu le temps de réagir, il s'accrocha à moi, secoué de sanglots.

J'eus le plus grand mal à me libérer de cet homme, des infirmiers l'entraînèrent, l'allongèrent en le bousculant sur un matelas d'une propreté douteuse, et moi je repartis, comme fou, dans le dédale des couloirs.

Arrivé dans le jardin je fis halte sur un banc.

En contraste avec l'intérieur, ce jardin respirait la paix, avec ses arbres et ses parterres de fleurs où dominaient violettes et pensées. Des oiseaux invisibles lançaient des trilles enivrants. À côté de moi était assis un jeune homme avec des béquilles. Sa robe de chambre cramoisie, de celles fournies par l'hôpital, m'empêchait de distinguer son grade. À en juger par son âge, il devait être sous-lieutenant, lieutenant tout au plus. Mince, pâle, d'allure courtoise, il tenait un livre à la main. Je regardai la couverture. C'était *La vie au tombeau* de Myrivìlis. À côté de lui je me sentais à peu près en sécurité ; il se poussa pour me faire de la place. Nous avions entre nous ses béquilles, et je vis alors qu'une de ses jambes était dans le plâtre. Je le contemplais, perdu dans mes pensées, quand il se tourna vers moi. Il avait les yeux bleus et une petite moustache blonde qui lui donnait l'air d'un étudiant.

« Vous venez pour un malade ? » me demanda-t-il avec une grande douceur, comme si le malade, c'était moi.

« Oui, dis-je, mais il est parti. »

Il sourit faiblement.

« Alors cela veut dire qu'il se porte bien. C'est un officier ? »

« C'était. »

Quelque chose dans le ton de ma voix sembla éveiller son intérêt, car il ferma son livre après avoir pris soin de marquer la page.

« Fracture ? » demanda-t-il.

« Non, dis-je, pire que cela ».

Il hocha la tête.

« Alors, malade mental, peut-être », dit-il timidement, l'air soulagé.

« Possible. Vous êtes officier de carrière ? »

« De réserve. »

« Fracture ? » demandai-je à mon tour.

Et lui, avec une mélancolie qui semblait pathologique : « Oui, fracture. »

Nous n'en dîmes pas plus. Je marmonnai : « Meilleure santé », et sortis de l'hôpital. L'image de mon Capitaine me poursuivit jusqu'au portail.

En rentrant chez moi je fus accueilli par la nouvelle que quelqu'un m'avait téléphoné, en refusant obstinément de laisser son nom.

« Tant mieux, dis-je à Sofia, je ne veux plus être dérangé aujourd'hui. »

« Si vous voulez mon avis, dit-elle doucement – on eût dit qu'elle aussi me traitait comme un malade –, ce devait être ce garçon sympathique, celui qui a si belle allure. Vous voyez qui je veux dire. »

« Non, je ne vois pas », dis-je un peu brusquement.

« Enfin, le Capitaine... » commença-t-elle.

Je me sentais transpirer.

« A-t-il laissé un message ? »

« Non. »

Je cherchai son numéro ; j'eus de la peine à le trouver. Je l'avais noté au crayon dans une marge, comme si tôt ou tard il devait sortir de ma vie. Je le repassai à l'encre, essayant – bien tard – de lui donner une permanence.

Mais j'eus beau appeler, personne ne répondait.

Tard dans la soirée, le téléphone sonna. C'était le professeur K.

« Je t'appelle pour t'inviter, si tu es libre, samedi

prochain. Il y aura quelques amis, rien que des intimes. »

« Je te remercie, dis-je, mais je ne peux rien promet-
tre, le travail s'est accumulé, je ne sais si j'aurais le
temps. »

« Allez, fit-il, moqueur, laisse donc pour un soir
Virgile et Sappho ensemble, ils se débrouilleront bien
tout seuls... »

« Mieux vaut ne pas compter sur moi », dis-je, d'un
ton cette fois sans réplique.

« Dommage, répondit-il, toi au moins, toi surtout,
cela t'intéresserait de venir. Tu te rappelles cette
discussion que nous avons eue sur l'Armée et les
problèmes qu'elle t'a posés ? Je ne sais si entre-temps
ils ont cessé de te préoccuper... Eh bien, j'invite
samedi le colonel O. »

« Qui est-ce ? »

« Ça, je ne peux te le dire au téléphone, fit-il d'un
ton mystérieux. Une seule chose : il est de ceux qui
dirigent un certain mouvement pour la démocratisa-
tion de l'armée. Cela t'intéresse, tu apprendras beaucoup de choses. Je t'attends. » Et nous raccrochâmes.

Cette nuit-là, mon sommeil fut plein de cauchemars.

17

Le lendemain matin vers dix heures, en sortant de
mon bureau, je vis dans le couloir une silhouette
familière qui venait vers moi. Il fallut qu'elle arrive
tout près pour que je la reconnaisse.

« Capitaine, c'est vous ? » J'en restai foudroyé. Sans
le vouloir je m'étais remis à lui dire vous.

« Comme vous l'avez constaté sans doute, je ne suis plus Capitaine », dit-il d'une voix inchangée, à peine un peu plus sourde.

Il était en vêtements civils, costume gris croisé, cravate bleu sombre unie, chaussures foncées – les mêmes chaussures qu'avant, je crois. Il m'est arrivé plusieurs fois de voir des officiers en civil et je connais bien le spectacle qu'ils offrent. Pas de galons, pas d'étoiles, aucun éclat. Un costume d'habitude mal coupé, trop large, inconfortable. La démarche pas très assurée, de même que la voix. Cette voix qui pourtant savait si bien commander.

Lui, non. Mon Capitaine avait l'air d'une gravure de mode. Le costume gris lui donnait encore plus d'éclat, éclairant le gris de ses yeux, leur donnant en même temps une pâleur presque poétique ; et sa taille, sans être autant soulignée que par l'uniforme, n'en gardait pas moins son charme. Le pli du pantalon, impeccable comme toujours. Dans sa démarche enfin, sa façon de se tenir, pas la moindre gêne. Au contraire, il portait ces vêtements avec l'aisance du civil. Seulement il était pâle, très pâle. Les yeux battus. Le bel Adonis, pensai-je, pour qui Zeus intervient auprès de Perséphone afin qu'elle le laisse un peu visiter Aphrodite.

« Je suis désolé, dis-je, j'ai appris que tu étais malade. »

« Et vous êtes venu me voir, dit-il avec un sourire. Je vous en remercie beaucoup. »

« J'aurais dû le faire plus tôt, répondis-je, nerveux. Mais de ton côté tu ne m'avais pas prévenu de la décision de votre Conseil des Promotions. Qu'est-ce que c'est encore ? Quels sont leurs arguments ? Je n'ai pas eu le temps de voir ton dossier. »

« J'ai une copie de la requête », dit-il avec le même sourire, comme si ma présence lui inspirait soudain

112

une confiance telle que c'était moi l'angoissé, et lui
l'homme tranquille prêt à me consoler.

Nous entrâmes dans mon bureau et aussitôt il déplia
la feuille en question. Ce n'était plus le papier impeccable auquel il m'avait habitué. Une feuille froissée,
pliée en quatre, comme s'il ne s'agissait pas de la
requête d'un officier, mais d'un quelconque papier
d'épicerie prêt à envelopper un morceau de jambon.

« Assieds-toi », dis-je.

Je ne te donnerai pas les attendus de la décision,
mais ce qui est sûr, c'est qu'ils l'avaient radié de
l'Armée comme impropre au service. Il y avait aussi
quelques appréciations : non pas « insuffisamment
discipliné, enclin à la discussion » comme la première
fois, ni « excessivement indépendant, s'adonne aux
jeux de cartes », comme la deuxième. Cette fois, en
revanche, une phrase le décrivait comme suit : « Cyclothymique. Santé mentale ébranlée. »

« Que s'est-il passé ? dis-je. Tu as un problème de
santé ? »

« Je crois que non », dit-il en levant les yeux sur moi.
Son regard, ferme et droit, venait du fond de son âme.
Seulement ce fond était trouble, comme agité récem-
ment par une tempête.

« Je vais bien, dit-il. Il m'est arrivé un incident, mais
j'en suis sorti sans dommage. Et je me sens plus que
jamais prêt à servir. »

Il me parlait comme s'il s'adressait à un officier.

« Tu es sûr, demandai-je, de le vouloir vraiment ?
Tu penses que cette chose-là », et j'agitai le papier de
sa requête, « te représente ! vraiment, tu insistes ? »

Il approuva de la tête. Il avait gardé dans son allure
quelque chose de l'assurance d'autrefois. Même s'il
était pâle avec des cernes sous les yeux. Embarrassé, je
jouais avec mon coupe-papier sur mon bureau. Lui
avait les mains jointes, comme s'il priait.

« Dans la mesure où la loi me le permet, dit-il d'une voix lente et nette, je pense que je dois insister, monsieur le Conseiller. Au fait, reprit-il avec plus d'entrain, j'ai oublié de vous féliciter pour votre promotion. »

Où avait-il trouvé moyen de l'apprendre ? Mystère. Dans la bouche de tout autre, une telle phrase aurait pris un caractère désagréable ; on y aurait senti tout au moins un soupçon d'envie. Lui, au contraire, souriait. Qu'était-ce d'autre qu'un certificat de fidélité, ce sourire ?

« Je te remercie beaucoup », dis-je.

Nous restâmes silencieux quelques secondes. Ses yeux, je le remarquai, étaient tournés vers le jardin. Un chant d'oiseau l'avait distrait un instant, mettant une ombre sur son visage. Il me rappelait intensément le garçon à la robe de chambre cramoisie et à la petite moustache blonde. Pour quelle raison l'avaient-ils donc envoyé à l'hôpital ? Je n'osais le lui demander.

« Écoute, lui dis-je, me reprenant, je ne peux te dire avec certitude ce que tu peux espérer. Je dois d'abord étudier ton dossier. Je ne sais qu'une seule chose. La loi est formelle : après deux refus d'avancement, au troisième on est radié de l'Armée. Mais dans ton cas les deux premiers sont annulés, c'est comme s'ils n'existaient pas. Comprends-tu ? »

« Je le sais, dit-il calmement. J'ai parlé avec mon avocat. »

« Et qu'a-t-il dit ? »

« Il m'a dit de faire ce que je voulais. »

Il parlait sans me regarder.

« Il t'a peut-être conseillé de renoncer, de ne pas continuer ? »

« C'est possible », dit-il, visiblement abattu à présent.

114

Il y eut un silence gêné, interrompu seulement par les chants d'oiseaux.

Je parlai le premier.

« Eh bien, qu'en dis-tu ? Veux-tu arrêter là ? »

« Non, je veux continuer. »

Il y avait chez cet homme un air qui vous empêchait de reculer. Tout me poussait à lui donner le même conseil que l'avocat. Pourtant je lui dis :

« Très bien, nous continuons ! »

Je vis s'éveiller en lui un sentiment de triomphe. Il dressa la tête et me regarda fièrement, comme on ne sait le faire qu'à l'Armée. Son visage avait l'air farouche d'un jeune lion qui attend la blessure, qui peut-être est déjà blessé, mais pour qui la balle du chasseur dans son corps nerveux n'est qu'un détail ; tout ce qu'il veut, c'est vivre. Non, ce fauve n'allait pas perdre courage !

Je le raccompagnai jusqu'à la porte.

« Il faudra sans doute que je te revoie, lui dis-je, avant que ton affaire se mette en route. »

« Devrons-nous attendre longtemps ? » demanda-t-il.

« Comme toujours. Peut-être même davantage. Le tribunal se voit chargé chaque jour de plus d'affaires. C'est devenu une espèce de mode que d'avoir recours à lui. »

« Moi, dit-il en pinçant les lèvres, je ne suis pas à la mode. Je suis un ancien ici. Un vieux de la vieille, comme on dit. »

Et soudain il me lança un regard plein de chagrin, comme un enfant dont on a blessé l'amour-propre. Était-ce là vraiment son unique blessure ?

« Bon, dis-je sans le regarder. Nous ferons comme convenu. Et si tu veux, tu peux venir chez moi. Nous y serons plus à l'aise pour parler. Tu te rappelleras peut-être quelque chose d'important que ton dossier ignore. Et cette fois, nous devons exploiter le moindre détail », dis-je en le regardant dans les yeux.

« C'est juste, dit-il avec conviction, me rendant mon regard, le moindre détail ! »

Il était très pâle, mais toujours beau. Seules quelques rides semblaient creuser son front, des pensées sans doute passagères, mais qui étaient restées gravées, indélébiles.

« Eh bien au revoir, à bientôt », dis-je.

J'avais encore oublié de m'enquérir de sa fiancée. Je le vis se diriger vers la sortie, seul et sans aide à présent. Son pas, pourtant, était le même que quand il portait l'uniforme. À peine un peu plus lent, et sans le bruit des talons. Au fond, peut-être avait-il changé de chaussures.

À midi le même jour, en sortant dans l'avenue de la Reine-Sophie, je me retrouvai dans la foule : les uns tentaient de s'écarter pour ne pas se faire piétiner, les autres, des jeunes pour la plupart, hurlaient des slogans en agitant des pancartes. Je me dépêchai d'entrer dans ma voiture. « Que se passe-t-il ? » demandai-je à mon chauffeur. « Les étudiants se sont heurtés à la police, monsieur le Conseiller. Aux Propylées, c'est la panique. » Il démarra en essayant de se frayer un passage. Des agents de la circulation affolés nous firent des signes de détresse, un jeune se jeta contre le pare-brise et se mit à frapper la vitre de ses poings. Machinalement je portai la main à mon visage pour me protéger. Au dernier moment, tournant vers la place Sỳntagma, je vis un jeune homme tomber sous les coups. Vingt ans au plus, avec une plaie au front, une fleur rouge qui s'ouvrait comme dans une explosion. Je détournai le regard, accompagné tout en m'éloignant par les cris rythmés de la foule, « un et un et quatre »...

18

Moins d'une semaine plus tard, le Capitaine frappait à ma porte.

Sofia nous servit mon thé et son café. C'était devenu un rite. « Où en est ta santé ? » lui demanda-t-elle. On aurait dit une mère, une nourrice avec son ancien bébé. « Veux-tu encore un sucre, des petits gâteaux ? Tu m'as l'air bien maigre. Je te fais une tartine au miel ? »

Ni sucre, ni miel. Avant même de toucher à son café, il sortit ses cigarettes et en alluma une, après m'avoir demandé la permission, de l'air d'un homme privé de tabac depuis longtemps. Ses dents, j'eus le temps de le remarquer, n'étaient plus aussi blanches qu'avant, mais vaguement bordées de jaune. Il portait, sous un long manteau démodé, le costume gris croisé qu'il avait mis pour venir au tribunal. Mais à présent le pli du pantalon n'était plus impeccable. « Il n'en a peut-être pas d'autre, me dis-je, c'est sans doute son seul "beau" costume. » Je pensai à mon armoire qui en était pleine, certains n'ayant servi qu'une ou deux fois, dans une soirée mondaine ou lors d'un concert. Pour ne rien dire des cravates. Lui portait encore la même cravate bleu sombre unie.

« Avez-vous des nouvelles ? » demanda-t-il.

« Non, rien. Mais ce sont les tiennes que je veux entendre. Où es-tu maintenant, quelles sont tes activités ? »

« Le matin, dit-il, je vais sur mon lieu de travail. Ayant attaqué la décision qui me radie de l'Armée, j'ai encore le droit d'y aller. »

Deux fines rides creusaient ses joues, mettant des parenthèses autour de sa bouche.

« Et comment sont-ils avec toi ? » demandai-je.
« Que disent-ils ? »

« Ils sont corrects. C'est moi qui ne me sens pas toujours bien avec eux. »

« C'est normal, tant que tu seras dans l'incertitude. » Il me regarda dans les yeux.

« Je me dis quelquefois que je devrais être ailleurs. »

« Comment cela ? » demandai-je, pris d'espoir. Peut-être allait-il envisager sérieusement de quitter l'Armée.

« Je veux dire qu'en ce moment je devrais être à Chypre, avec la Division. »

Je le regardai. Étrange ! Voilà qu'il me disait ce que j'avais moi-même pensé.

« Ce serait peut-être dangereux, dis-je sans préciser, on ne sait jamais. »

« Justement. »

Un instant nous cessâmes de parler. Comme si nous avions perdu le contact. Je vis son regard tournoyer dans la pièce. Bientôt il s'arrêta sur les disques.

« Comment va l'*Héroïque*, demandai-je, tu l'écoutes quelquefois ? »

Il me regarda, comme envoûté.

« Régulièrement », dit-il, et il se tut, impénétrable derrière sa fumée.

« Comment va ton ami Kakoulàkos, demandai-je pour changer de sujet, se trouve-t-il encore au Centre d'instruction ? »

Il fit oui de la tête.

« Avez-vous discuté de ton cas ? Quelle est son opinion ? »

Je le vis hésiter.

« Tantôt il montre de l'intérêt et propose de m'aider... tantôt il fait tout pour me compliquer la vie. Tel est son caractère. » Il s'efforçait de le justifier une fois encore, mais je sentais bien à l'entendre qu'il était maintenant désabusé.

« Parle-moi librement, l'exhortai-je, que t'arrive-t-il ? Tu dois tout me dire. C'est ce que nous avons convenu. Tu te souviens ? »

Il se redressa sur son siège et tira un soupir de sa poitrine, comme on soulève une pierre. Son visage prit de nouveau l'expression volontaire qu'il avait souvent.

« Au début, commença-t-il avec sa vivacité habituelle, avant que je sois radié, il était on ne peut plus gentil avec moi. Il s'efforçait de me persuader de sortir tous les deux un soir, car il disait que je savais mieux y faire avec les femmes. Je lui ai rappelé que j'étais fiancé. "Je sais, m'a-t-il dit, tu me prends pour un idiot ? Bon, tu t'es fiancé, et alors ? Tu es le premier peut-être ? En tout cas, puisque tu ne m'as pas prévenu, moi c'est comme si je ne savais rien." Il y a eu un silence, puis il a repris : "Mais puisque c'est comme ça, arrange-nous une sortie avec ta promise, que je la connaisse moi aussi. Ou alors tu ne me juges pas digne d'elle ?" Devant un tel discours, j'étais coincé. J'ai cédé. Au fond, pourquoi l'empêcher de faire sa connaissance ? J'étais sûr qu'il apprécierait mon choix. Et c'est ainsi que nous sommes sortis un soir ensemble, dans une taverne.

« Au début il était très gentil avec chacun de nous deux, il a même promis à Marìa, qui le lui avait demandé, de s'intéresser à mon affaire. Il devait parler à un certain Mavrokèfalos qui est au Conseil des Promotions et tâcher de l'influencer. "On n'en a qu'un comme lui, disait-il de moi à Marìa, et on le laisserait tomber ? Manquerait plus que ça !" Pourtant quelque chose me gênait : pendant tout le temps de la discussion, il a parlé uniquement à Marìa, comme si moi je n'existais pas. Enfin, on a mangé, on a bu, et ç'a été fini.

« Un matin, il est venu dans les bureaux et m'a dit : "J'ai vu Mavrokèfalos et je lui ai parlé de ton affaire. Il veut te rencontrer. Allons dîner un soir ensemble. Seulement dis à Marìa" – il l'appelait maintenant Marìa tout court – "d'amener une amie, qu'elle ne soit pas la seule femme de la bande." J'ai cédé. J'ai encore accepté. Nous sommes sortis un soir, Kakoulàkos, moi, Marìa, son amie et Mavrokèfalos. Un Commandant noiraud et renfrogné. Une "tête noire", comme dit son nom. Encore un type du Magne. Sans traîner il a fait la cour à l'amie de Marìa. Il s'était collé à côté d'elle et la faisait boire sans arrêt. Kakoulàkos l'a mal pris, je l'ai bien vu. On ne peut pas dire qu'il ne s'y attendait pas. Mais apparemment il comptait garder la fille pour lui. Ce soir-là on a parlé de tout et de rien, quand nous nous sommes quittés Mavrokèfalos a pris le numéro de téléphone de l'amie et Kakoulàkos était fou de rage.

« Le lendemain matin, au bureau, il me dit : "Tu sais, ce serait mieux que Marìa aille le voir toute seule." J'ai répondu que si je n'aimais pas supplier les gens, j'aimais encore moins laisser Marìa le faire. "Mais tu ne comprends pas, tête de mule, a-t-il dit, qu'elle seule peut emporter le morceau ?" "Pourquoi elle ? Quand je vois comment il a failli s'envoyer l'autre..." "Avec Marìa c'est différent, elle doit y aller seule pour le voir personnellement, c'est la seule façon pour toi d'y arriver." Je n'y comprenais plus rien. Qu'avait à faire Marìa avec ce Mavrokèfalos ? "Enfin pourquoi n'irais-je pas avec Marìa ?" ai-je dit. "Parce que tu es un couillon !" Il était furieux, il tapait du poing sur le bureau : "Est-ce que ça se fait, des choses pareilles ? Puisque tu es l'intéressé, tu te vois te présenter toi-même ?" Je n'ai pas voulu l'exciter. "Si c'est pour ton bien, m'a dit Marìa, pourquoi n'irais-je pas ? Qu'avons-nous à perdre ?" »

« Et elle y est allée seule ? »

« Seule », dit-il, serrant les mâchoires, comme s'il ruminait sa colère et tentait de la réduire en mille miettes.

« Et que s'est-il passé ? »

« Rien, naturellement. Au lieu du meilleur, c'est le pire qui est arrivé, et en plus Kakoulàkos est venu me raconter n'importe quoi. »

« C'est-à-dire ? » demandai-je en lui resservant du café.

« Que Mavrokèfalos s'était vexé parce que l'autre fille l'avait laissé en rade, et qu'il a fait semblant de ne pas reconnaître Marìa tout de suite, et que cela lui avait fait du tort, à lui Kakoulàkos, car Mavrokèfalos l'avait envoyé promener, et lui avait même dit : "Tu nous pompes l'air avec ton Capitaine ! Qu'est-ce qu'il nous veut ce minet, qu'il aille se faire maquereau et qu'il nous fiche la paix, qu'est-ce qu'il vient faire dans l'Armée, pour qui se prend-il ?" et ainsi de suite. "Tu vois ce que j'encaisse à cause de toi, m'a-t-il dit, faut que tu le saches. Et quant à Marìa, a-t-il lancé soudain, je ne veux pas te fâcher, mais cette fille n'est pas pour toi, elle n'est pas ton genre." Le sang m'est monté à la tête. "Attends un peu, écoute-moi d'abord, a-t-il dit, tu te fâcheras ensuite ; cette fille-là", – Marìa – "ça lui serait égal de se mettre avec Mavrokèfalos, et alors non seulement tu n'aurais pas ta promotion, mais tu aurais tout perdu." Je me suis levé, hors de moi. Je lui ai dit de ne pas répéter, car moi j'oublierais que je parlais à un supérieur. Le ton a monté. "Tu l'oublies souvent, m'a-t-il dit, c'est ça qui ne va pas chez toi, l'autre jour tu as encore discuté avec ce merdeux de Foundoulàkis." Foundoulàkis, c'est un Capitaine d'artillerie de ma promotion, nous étions amis dès l'École, je l'ai retrouvé au Centre d'instruction, aux armes lourdes. »

121

« Quelles conversations avais-tu avec ce Foundoulà-kis ? » lui demandai-je avec douceur, comme à un enfant, car il y avait de la fureur dans ses yeux, une rougeur enflammait et cachait son visage. J'avais de la peine à le reconnaître. C'était comme un autre homme, un étranger total.

« Nous discutions de la situation, répondit-il. Vous la connaissez : l'Armée résiste au gouvernement, certains de ses cadres au moins, car il y a plusieurs tendances ; les uns veulent la faire progresser, les autres la ramener des années en arrière, à la Guerre civile. J'ai le droit de vote moi aussi, je devais me tenir informé. Ce Foundoulàkis est crétois, d'une famille vénizéliste. Avec lui je pouvais parler librement. »

« Et comment Kakoulàkos a-t-il appris que tu discutais avec Foundoulàkis ? »

« Comment savoir ? Que dois-je supposer ? Il y a des mouchards partout. Comment l'expliquer autrement ? »

Pour la première fois il s'autorisait à montrer ses sentiments. J'étais surpris de voir cet homme se laisser entraîner par un courant de colère ou de désespoir. « Voilà, pensai-je, même les natures les plus hautes, les plus morales, ne tiennent pas le coup longtemps. »

« Et Marìa ? demandai-je pour changer de sujet, que s'est-il passé avec Marìa ? »

« Oh, avec Marìa... Que vouliez-vous qu'il se passe », commença-t-il. Soudain il détourna la tête, comme pour se remettre à examiner mes disques. « Eh bien, avec Marìa nous sommes en froid », dit-il sans me regarder.

Quand il tourna de nouveau les yeux vers moi, son regard était embué. Il se retenait à grand-peine d'éclater.

« Mais enfin, dis-je, m'efforçant de l'apaiser, ce

n'est pas une raison pour gâcher vos relations, simplement parce qu'un imbécile galonné... »

Cette fois il ne réagit pas à mon attaque.

« Non, dit-il avec rancœur, mais à ce moment-là, peu après ma maladie, Marìa a changé avec moi. Je ne sais ce qu'ils lui ont dit sur moi, quelle leçon lui ont donnée Kakoulàkos et ce Mavrokèfalos, mais elle est revenue totalement changée. »

« Et que t'a-t-elle dit ? »

« Que si je continuais à me comporter ainsi, mieux valait démissionner de moi-même avant qu'on me réforme. "Au moins sois fier, m'a-t-elle dit, ne les laisse pas faire de toi ce qu'ils veulent." »

« Et qu'as-tu répondu ? »

« Je me suis fâché, je lui ai dit de ne pas s'en mêler, que j'avais eu tort de la faire intervenir. Qu'à présent elle ne devait écouter que moi. Qu'elle avait affaire à moi et non à l'armée. Et qu'elle devait se préparer très vite pour le mariage. "Non, m'a-t-elle dit, dans de telles conditions je ne peux pas me marier, tu ne le comprends pas ?" »

Sa voix tremblait. Il était prêt à pleurer comme un petit enfant.

Je me levai. J'allai vers lui.

« Allons, lui dis-je en le prenant par l'épaule, un soldat ne perd pas courage, cet orage ne va pas durer. »

Il leva les yeux et me regarda comme si j'étais un deus ex machina descendu exprès pour lui.

« Avec Marìa tout s'arrangera, laisse parler Kakoulàkos. Toi, occupe-toi de ton affaire. Maintenant que tu t'es lancé dans le combat, il faut combattre. »

Tout en parlant, j'avais l'impression d'être chargé de prononcer un discours au rabais pour fête nationale.

« Ne t'inquiète pas, poursuivis-je, nous sommes à

Mènis Koumandarèas

tes côtés, nous te soutenons. Nous ne te laisserons pas tomber. »

Et de nouveau j'eus l'impression de prononcer des mots vides.

Il me jeta un regard plein de dévotion et d'un fol espoir qui avait dû lui traverser l'esprit. Mais tout de suite un nuage noir sembla recouvrir son visage, et il dit :

« Savez-vous que j'ai été soigné en psychiatrie ? »

« Je le sais, dis-je en faisant malgré moi un pas en arrière, mais comment cela s'est-il passé, tu ne m'as rien dit, je dois tout savoir. »

Je me rassis sur ma chaise et versai un peu de thé dans ma tasse.

Il commença son récit d'un ton plus calme.

« Tout s'était à peu près arrangé, je voyais Marìa de temps en temps, nous évitions d'évoquer le sujet ; Kakoulàkos lui-même était aux petits soins avec moi et me demandait des nouvelles de l'affaire. "Où en es-tu, mon vieux, dépêche-toi d'en finir ; tu m'es indispensable, je te veux avec moi, tu ne comprends pas ?" »

« Et toi, tu le croyais ? »

« Je le croyais parce qu'il semblait lui-même y croire. Je vous ai dit que c'est un homme étrange ! »

« Certes, dis-je, conciliant. Et Marìa, t'en parlait-il ? »

« Non. Il ne demandait même pas de ses nouvelles. Un jour seulement il m'a dit : "Allez, maintenant que tu es célibataire, si on allait boire un petit verre un soir tous les deux ? Pas de femmes, pas de baratins, rien que nous deux, deux petits soldats tout seuls..." Je me suis souvenu de Marìa qui m'avait dit d'accepter s'il me proposait de sortir, et en général de ne pas faire d'objections, alors j'ai répondu : "pourquoi pas ?"

« Nous sommes allés dans une taverne.

« Au début tout s'est passé normalement. Kakoulàkos parlait de choses et d'autres, mais ensuite il s'est
mis à commenter la situation politique, il disait que
tout allait très mal, qu'au point où nous en étions il
fallait un virage à cent quatre-vingts degrés, ou alors
nous allions tous au précipice. "Qui gouverne ici ?
disait-il. Ce vieux cinglé ne sait même plus ce qu'il
fait. On dirait qu'il a oublié la merde où il nous a mis
en 44, quand les maquisards ont failli nous faire la
peau... Et pendant que nous on était dans les montagnes, qu'est-ce qu'il faisait ? Il se torchait avec le
papier du Palais Royal. Tandis que maintenant il les
snobe et leur fait la gueule. Mais sache-le bien, ça ne
va pas durer longtemps, je te le dis à toi qui les aimes
bien", et il me toisait de la tête aux pieds. Je lui ai dit
qu'il avait raison, pour avoir la paix. Il s'est un peu
calmé. Ensuite, comme je gardais le silence, il a fait des
commentaires sur les femmes qui nous entouraient :
une avait tel défaut, une autre les jambes torses, une
autre encore je ne sais quoi. Il m'a montré un couple
dans le fond. Tu la vois celle-là, celle-là je te dis, la
blonde, elle est teinte, elle a au moins dix ans de plus
que lui. C'est sûrement son mac. Et toi, je me demande, tu pourrais faire comme lui ?" Sa langue
n'arrêtait pas, je le laissais parler. Je buvais modéré-
ment. Lui n'arrêtait pas. À la fin le retsina lui est
monté à la tête, il ne se contrôlait plus ; il accusait tous
les gouvernements passés, "il n'y a que l'Armée,
disait-il, il n'y a qu'elle qui soit capable !" Un peu plus
tard il s'en est pris à l'Armée elle-même, cela faisait six
mois qu'il aurait dû, disait-il, recevoir sa promotion,
et la cause... je savais bien la cause. »

« Et quelle était cette cause ? » demandai-je, intri-
gué.

« Moi. "Toi !" C'est ce qu'il m'a dit, en pleine
figure, à la taverne. Et que j'étais connu pour mes

opinions, que je jouais aux cartes, que je lisais des livres suspects, que je vivais depuis des années avec une femme sans l'épouser, et ainsi de suite. "Et tout ça rejaillit sur moi !" criait-il en se frappant la poitrine du poing. "Sur moi qui passe pour ton protecteur, moi qui t'ai fait venir à Athènes où tu joues les jolis cœurs, au lieu de te laisser en Albanie pour que te bouffent les loups et les chacals !" "Mon protecteur ? tu l'es ou tu ne l'es pas ?" ai-je demandé ; il m'avait poussé à bout. "Non, a-t-il dit, tu n'es rien pour moi, et ce vin que je bois avec toi est un poison, parce que finalement, est-ce que tu t'es jamais soucié de moi ? Tu m'as fait connaître une seule de toutes ces femmes que tu lèves ? Ou bien tu veux me faire croire qu'il n'y a que Marìa ? Des Marìa, tu en as des milliers, tu le sais bien, Casanova !" Il était complètement soûl, et moi je me retenais. Et c'est reparti : "Est-ce que tu m'as jamais demandé mon opinion avant de voter ? Tu vas tout le temps avec ce Foundoulàkis et vous vous racontez vos petites histoires. Tu crois que je ne sais pas ce que vous déblatérez dans mon dos ! Parce que je suis un type du Magne, un vrai de vrai ! Vous deux, et quelques petits malins, vous me méprisez, vous brisez ma carrière !" On le voyait bien, il ne savait plus ce qu'il disait, et je me retenais autant que je pouvais, car si je me laissais aller, tout pouvait arriver, et en guise d'avancement, je serais peut-être aujourd'hui en prison.

« J'ai évité de l'exciter ; j'ai proposé de rentrer à la caserne – il habitait là-bas, moi je partageais une chambre avec un type de mon village. Je l'ai même soutenu pour qu'il se lève, il ne tenait plus sur ses jambes, il titubait en pleurnichant comme un enfant. "Tout ça c'est ta faute, oui, *ta* faute ! disait-il, parce que tu es beau gosse et qu'elles te préfèrent toutes ! Et toi tu n'as jamais fait le moindre geste pour nous en refiler une ! Ça te coûterait quoi, dis-moi, ça te coûte-rait quoi, monsieur le Don Juan ! Jouisseur !" Un peu plus et je le cognais. Au lieu de cela je l'ai porté jusqu'à un taxi. "Tu n'as même pas été fichu d'acheter une voiture, disait-il pendant le trajet, toi dont le père a des oliveraies, vous qui nagez dans l'huile. Vous attendez tout de moi qui suis pauvre, qui suis né dans les cailloux..." J'étais si nerveux que je sautais sur place. Je l'ai laissé à la caserne et suis rentré chez moi. À ce moment-là j'aurais voulu aller me tuer, que tout soit fini, que je sois tranquille. Je me suis couché, j'ai dormi. Toute la nuit j'ai déliré. Mon colocataire me l'a dit le lendemain. »

Je vis ses mains trembler tandis qu'il allumait une deuxième cigarette.

« Ce matin-là, poursuivit-il, je suis allé au travail normalement. J'étais blanc comme un linge et lui, assis les jambes croisées à son bureau comme si de rien n'était. Comme si tout ce qui s'était dit la veille ne nous avait qu'effleurés ; quant à son ivresse, aucune trace. Il semblait plus lucide que jamais. "Pourquoi tu es en retard ?" a-t-il demandé. "Tu sais très bien pourquoi", ai-je répondu. "Quand on me salue et quand on me parle, on me vouvoie, c'est pas une taverne ici, c'est l'Armée !" Il disait cela avec sang-froid, ce qui m'a mis au supplice. Je me suis assis dans un coin. Il m'a jeté : "C'est le moment de s'installer ? Tu ne vas pas voir les recrues ?" Mon travail était de faire l'instruction. Je m'en occupais avec Foundoulà-kis. Il leur montrait les armes lourdes, et moi j'étais chargé des corvées, des repas et de la discipline. "Aujourd'hui je ne peux pas, lui ai-je dit, je vais à l'infirmerie ; je voudrais rentrer chez moi ; je vous prie de m'y autoriser." "Tu n'iras nulle part, tu restes où tu es, et puis tu files au boulot. Tu m'as regardé, moi ?" Il se pavanait à son bureau. "Et ensuite, tu

viens demander de l'avancement ! Et quoi encore ?
Alors c'est ça qu'on t'a appris à l'École Militaire,
t'écrouler après un petit verre ? Mais qu'est-ce que tu
es, une gonzesse ? Tu parles d'un Capitaine, un marin
d'eau douce, oui !" Mes jambes tremblaient. Je n'ai
rien dit et me suis apprêté à partir. Il m'a arrêté à la
porte. "Et puis écoute-moi bien, si tu fais bien ce qu'il
faut" – il m'a cligné de l'œil – "je reparlerai à ce
Mavrokèfalos pour qu'il donne un coup de main. Rien
que pour faire changer d'avis à ta greluche, qu'elle se
remette avec toi." J'allais l'interrompre mais il a
repris. "Allez, pas de cachotteries, entre nous c'est
cuit avec elle. Et alors, où est le problème, comme si
c'étaient les femmes qui manquaient !" Maintenant
j'étais prêt à le frapper. Il a compris, car il a fait un pas
en arrière. Un instant son visage a blêmi. Mais alors,
d'un seul coup, je n'ai plus rien vu, monsieur le
Conseiller, et je suis tombé raide à l'endroit où j'étais.
On m'a emporté – je me suis réveillé à l'hôpital. »

Ce récit semblait lui avoir fait du bien. Il s'était
défoulé en parlant. Il me regardait à présent, tranquille, avec confiance, comme s'il était certain
d'avance que je le comprenais et qu'au fond de moi je
lui donnais raison.

J'étais resté sans voix.

À cet instant, Sofia ouvrit la porte pour prendre les
tasses. Quelque chose dans mon attitude lui fit sans
doute changer d'avis. Elle referma la porte sans bruit.

« Et ensuite, m'efforçai-je de lui dire calmement, tu
veux me convaincre que Kakoulàkos est simplement
un homme bizarre, cyclothymique ou je ne sais quoi.
Mais ce type, lui dis-je avec indignation, ce type est un
monstre ! »

Il voulut réagir. Comme il l'eût fait naguère. Mais
c'était trop, il n'avait pas la force. Il baissa la tête.

« Mais où es-tu allé te fourrer, mon ami ! m'écriai-je

hors de moi. Et tu veux, tu continues de vouloir les rejoindre... Tout sauf ça ! »

Il me regarda de l'air d'un enfant qu'on vient de reprendre à faire une bêtise.

« Vous aussi vous prenez le parti de Marìa ? »

« Je ne prends le parti de personne, l'interrompis-je. Je vois la vérité ! »

J'étais au centre de la pièce, foudroyé.

C'était soudain comme si toute la vérité m'était révélée, affreuse dans toute son étendue et sa profondeur, comme un tableau de Jérôme Bosch où l'horreur est partout. Il s'agissait, ni plus ni moins, d'un complot d'êtres sans conscience qui s'était enroulé comme un serpent autour de lui, serrant ce corps d'homme à l'âme d'enfant. Non, c'était la dernière chose que j'aurais pu imaginer ! J'avais cru moi aussi que tout s'expliquait par l'Armée, qu'elle avait sa discipline et sa hiérarchie, qu'il n'était pas exclu que le jeune Capitaine se soit laissé entraîner à certains manquements, légers certes, mais qui n'en contrevenaient pas moins à l'exemplaire discipline militaire. Seulement là, j'étais devant l'image d'un homme entièrement manipulé, calomnié par tous ces gens jusqu'aux dernières limites de l'humiliation ; d'un homme têtu, instable si tu veux, naïf sans doute, mais fondamentalement honnête, qui avait eu affaire à des demi-fous et des canailles. Dieu sait quel filou était ce Foundoulàkis en qui il avait confiance ; j'étais sûr qu'il complotait avec Kakoulàkos. Quant à l'autre, ce Mavrokèfalos ! Celui-là, c'était une crapule confirmée. Je le sentais sans rien savoir de lui. Car c'était lui, bien sûr, le « cerveau » de la bande, qui tirait les ficelles, qui les faisait tous marcher ; il n'avait qu'une idée en tête, élever les uns, abaisser les autres, ramasser de l'argent – car à un tel poste il se faisait sûrement arroser –, avec une idée fixe : les femmes. Tandis que l'autre, Kakoulàkos, ce monstre, était au fond un pauvre type, chargé de tous les malheurs et les rancœurs que la laideur et la pauvreté suscitent, sans aucune vertu, sans qualités, une victime d'un autre genre, mais une victime lui aussi, comme mon Capitaine.

Je m'arrêtai et fis machine arrière à temps. Non, me dis-je, si je continuais de ce pas je risquais finalement de n'attribuer de responsabilité à personne, sinon à l'état-major général. De dire : tous ceux-là sont irresponsables, tout est la faute du commandement. Mais je ne voulais pas aller si loin. Ce n'était pas là mon travail. Quand devant moi se traînait un ver de terre comme Kakoulàkos, quand j'avais sous les yeux un Capitaine au bord d'une crise nerveuse qui ne le mènerait nulle part ailleurs qu'à l'asile, alors non, je ne pouvais m'en tenir aux généralités. J'avais affaire à ces cas précis. Et c'était d'eux que je devais m'occuper. Je me devais de marcher sur l'un, de l'écraser comme il le méritait, et d'élever l'autre, de le sauver avant qu'il soit trop tard. Je me souvins de l'invitation que m'avait adressée mon ami le professeur K. « Dommage », ses mots résonnaient encore à mes oreilles, « toi au moins, toi surtout, cela t'aurait intéressé de venir ! » J'aurais dû y aller, me dis-je, pour rencontrer ce colonel et discuter avec lui. Alors, peut-être, il en serait sorti quelque chose pour l'officier que j'avais devant moi.

Tout le temps que je remuais ces pensées, le Capitaine m'observait avec inquiétude, comme s'il avait un instant tout oublié et s'inquiétait de me voir soudain bouleversé. Son regard était limpide. Son front, malgré ses nouvelles rides, semblait un horizon blanc avant le lever du soleil.

Je lui criai, hors de moi :

« Ne t'en fais pas, tu vas lutter ; nous lutterons ensemble, jusqu'au bout ! »

Il se leva. On eût dit l'apparition du soleil. Son visage avait retrouvé ses traits, un instant altérés par le chagrin et l'inquiétude. Il resplendissait. Il me prit la main.

« J'en étais sûr, dit-il, vivement ému, dès l'instant où je vous ai rencontré, je savais que j'avais trouvé mon bon ange ! »

Il avait l'air de me dire qu'il n'avait que moi au monde. Si je m'étais approché, si j'avais fait mine de le toucher, pour un peu il m'aurait serré dans ses bras.

« Et Maria ? » fis-je avec effort, pour tenter de me dérober.

« Maria finira par comprendre elle aussi. Elle a confiance en vous, une confiance illimitée. »

Il voyait de nouveau le monde en rose, dans sa gloire d'origine. Mon cœur battait, de vrais battements, comme je n'en avais pas senti depuis longtemps.

« L'important, c'est que Maria ait confiance en *toi* – et quant à moi, explosai-je, cesse enfin d'avoir une confiance aveugle dans les gens. Moi non plus, tu ne peux pas savoir qui je suis au fond ! »

Il fit un pas en arrière, mais ne céda pas.

« Si vous ne le savez pas, dit-il, moi je le sais, je l'ai compris ! »

En cet instant, je sentis que ma relation avec cet homme était parvenue à son sommet.

« Tu sais, lui dis-je dans une ultime tentative, je ne te retiendrai pas davantage. Cela me ferait un très grand plaisir, mais j'ai une masse de travail qui m'attend. »

Ma voix tremblait un peu.

Il me fixait droit dans les yeux. Les siens étincelaient, il était prêt à parler, je voyais palpiter ses lèvres. Je ne les avais jamais vues ainsi. Comme si elles désiraient plus que tout une étreinte de père, d'ami ou d'amant. C'étaient des lèvres grecques antiques ; de Kouros blessé, qui gisait à présent, abandonné.

« Mon Dieu », me dis-je, en une sorte de prière.

Au même instant, la porte s'ouvrit et Sofia entra.

« Vous m'avez appelée ? » demanda la vieille femme.

Elle se tenait sur le seuil, en tablier de cuisine, ses cheveux blancs coiffés en tresse. Elle me regardait dans les yeux.

Alors, comme si l'on m'avait jeté un seau d'eau à la figure, je la laissai passer et lui montrai le Capitaine en silence.

Sans un mot elle prit son manteau et l'aida à l'enfiler.

Nous étions tous pâles, comme si nous sortions d'une maladie.

Je le raccompagnai jusqu'au vestibule et restai à l'observer. La vieille lui disait quelque chose et lui, l'air d'avoir soudain tout oublié, lui répondait sur ce ton assuré, insouciant, qu'il avait toujours avec les gens.

« Et sois prudent, boutonne-toi bien, il fait froid dehors », entendis-je. D'une voix affectueuse, et en même temps étrangement sévère, Sofia lui faisait ses adieux.

Nous restâmes seuls.

Moi feignant de feuilleter un dossier, elle me préparant quelque chose de chaud.

J'entendais les bruits de casseroles dans la cuisine, et je sentais entre mes mains le crissement de ces papiers étrangers, inutiles. Maudits papiers ! Mes pensées couraient au loin, vers des jours de jeunesse insouciante, où ni ma profession, ni la société ne m'empêchaient de faire ce que je voulais. Ce que je faisais alors ? J'avais l'impression de l'avoir oublié, et perdu.

« Ce garçon est un peu fou, dit Sofia en me servant

du bouillon de viande et des pommes vapeur, et il vous rend un peu fou vous aussi. » Elle s'était plantée au-dessus de moi et son ombre tombait dans ma soupe.

« Oui, d'accord, Sofia », répondis-je, comme si je lui suggérais de se taire.

« C'est un brave garçon, insista-t-elle en s'essuyant les mains sur son tablier, vous êtes un ange de le défendre, mais faites quand même un peu attention à vous... »

Elle ne me dit rien d'autre. Je restai dans la pièce, éteignant toutes les lumières sauf une petite lampe sur une table.

Mon regard parcourait les tableaux – ceux que tu vois, moins le petit portrait –, caressait mes livres et mes disques, qui l'emportant facilement sur les humains m'avaient tenu compagnie tant d'années. Que désirait mon âme ce soir-là ? Virgile, Dante, Cavafy ? La cantate de Bach *O Ewigkeit, du Donnerwort* ou le divertimento Köchel 136 ? Et ce coffret des symphonies de Tchaïkovski, quelle provocation !

Mais j'étais fatigué, découragé. En de telles heures, tout ce que l'on désire, c'est se coucher et fermer les yeux.

Ce que je fis.

19

Je ne t'accablerai pas de détails superflus.

C'était le printemps de soixante-cinq. Tout devenait vert et dionysiaque. Les visages, les lèvres des gens semblaient toujours brûlants, et je voyais des collègues, jusque-là réticents à se mêler de politique, lancés dans de grandes discussions.

« Tu as lu le journal ? » me demandait le maître des requêtes B. en faisant claquer ses lèvres sensuelles, et tandis que dans le vestiaire notre Muse tentait d'arranger nos vêtements sur nous, lui me prenait par la manche et me tirait.

« Non, répondais-je. Que se passe-t-il ? »

« Tu sais bien, ce sabotage dans un camp militaire à la frontière turque ; quelles sont tes impressions, qu'as-tu à dire là-dessus ? » et il me regardait comme s'il était acquis désormais qu'en matière de questions militaires, j'étais une autorité.

« Il y a quelque chose de pourri au royaume de Danemark, poursuivit-il, indifférent aux regards noirs de madame Melpomèni, et ce fameux colonel qui les dénonce, Papa... je ne sais plus quoi, tu vois qui je veux dire, celui qui était magistrat militaire dans l'affaire Beloyànnis, ses agissements ne me plaisent pas du tout. Voyons voir où tout cela va nous mener... »

Je lui répondis que cette affaire me déplaisait à moi aussi et qu'en outre je ne comprenais pas pourquoi ils n'avaient pas trouvé plus tôt le temps de la révéler.

« Vous allez voir, intervint le maître des requêtes G., essuyant ses lunettes dans un pli de sa toge, qu'au lieu de le radier de l'Armée, Papandrèou ira jusqu'à le promouvoir. Qu'est-ce qu'il t'en dit, ton Capitaine, le beau Capitaine ? »

Allons bon, me dis-je, on ne peut rien garder de secret dans cette société ; l'épithète accompagnant le requérant était elle-même devenue un secret de polichinelle.

« Je ne l'ai pas du tout vu », dis-je vaguement, et je détournai la conversation.

Mais pourquoi donc, pensais-je le soir dans mon

bureau, le dossier ouvert devant moi, pourquoi choisissaient-ils le Capitaine pour l'associer à cette situation ? Était-ce justifié ? Ou bien cela révélait-il une tendance à se mêler de politique, cette même tendance, que je pressentais chez les militaires, à s'introduire en terrain étranger ?

Bientôt le printemps dégénéra et ce fut l'été, chaud, pesant, du moins pour ceux qui se trouvaient en ville. La politicomanie, après avoir couvé comme une épidémie dans les bureaux et les couloirs, avait maintenant éclaté au grand jour. Délaissant les questions juridiques, on s'adonnait à d'interminables discussions sur le voyage du Premier Ministre à Corfou où il avait rendu visite à Constantin, puis sur les lettres qu'ils avaient échangées, qui nourrissaient l'imagination et suscitaient les conjectures.

« Tu vas voir que c'est maintenant le début du compte à rebours », marmonna le maître des requêtes B. en agitant sa toge collée à sa chemise. « Pour qui se prend-il, ce Constantin, ce petit morveux ! Paul n'aurait jamais osé parler sur ce ton... »

« N'oubliez pas, susurrait le maître des requêtes B. derrière ses petites lunettes de myope, il ne faut pas toucher à la royauté ! »

« Ici nous avons d'autres sujets de préoccupation », intervenait le conseiller D., et se tournant vers moi : « Alors, à quand l'audience du Capitaine ? »

Il me sembla entendre des rires étouffés dans le vestiaire – mais c'était peut-être un effet de mon imagination.

Quand peu de temps plus tard, un matin, le Capitaine me téléphona, je fus en mesure de lui annoncer la date.

« Le tant de ce mois, lui dis-je avec soulagement, un peu de patience et tu en auras terminé. »

« Merci, monsieur le Conseiller. »

135

Il semblait troublé.

« Qu'as-tu ? Je ne t'entends pas bien. Que se passe-t-il ? »

Voilà que j'étais moi-même un peu troublé.

« Oh, rien, répondit-il sur le ton insouciant qui était le sien, chaque fois qu'il se libérait de son angoisse en la repassant à son interlocuteur, rien qui me concerne personnellement. D'ailleurs, dit-il en baissant la voix, vous l'apprendrez par les journaux. »

Nous raccrochâmes.

Tous les soirs, enfermé dans mon bureau, je lisais le dossier. Je m'efforçais de saisir le sens des mots et d'ouvrir une porte derrière eux. La plupart du temps j'y parvenais, mais d'autres fois je n'arrivais à voir que son visage. Je m'efforçais de le voir éblouissant, comme il l'avait toujours été, mais par moments il s'effilochait, comme estompé par la brume. Je tournais les yeux vers mes livres, quand soudain je le voyais en équilibre sur les rayons, et il me semblait alors que d'un instant à l'autre il allait tomber, entraînant un tome du Code civil dans sa chute.

« Non, ce n'est pas possible, m'écriais-je tout seul, ce n'est pas lui, c'est quelqu'un d'autre ! »

La veille du jugement, le soir, le téléphone sonna. Sofia étant absente, je dus laisser mon dossier pour répondre.

« Allo, dis-je. Allo ? »

La ligne était encombrée, des sons sifflants se mêlaient à des bruits de circulation lointains, le tout dans une espèce de vide, comme si une distance astronomique me séparait de l'inconnu au bout du fil.

« Allo, parlez plus fort, je ne vous entends pas. »

« Je voulais vous dire, fit une voix fortement enrouée, que c'est peine perdue. »

Je commençais à m'énerver.

« Que voulez-vous, monsieur, quel numéro demandez-vous ? »

Il y avait aussi, dans cette voix enrouée, comme une vague menace.

« Vous faites erreur, dis-je, vous vous trompez de numéro », et je m'apprêtai à raccrocher.

« Non, ce n'est pas une erreur », poursuivit la voix sans se presser à travers le dédale des lignes. « Il faut que vous le sachiez, ça ne sert à rien d'insister, vous le savez mieux que moi. »

« Qui êtes-vous ? » m'écriai-je, hors de moi.

Mais on avait raccroché.

« Hier soir vous avez crié en dormant », me dit Sofia le lendemain matin, et sur la table où m'attendait le petit déjeuner elle posa le journal.

Sous un titre barrant la première page, Kathimerini publiait la nouvelle : un groupe d'officiers de l'Armée était cité en justice, accusé de menées séditieuses sous le nom d'ASPIDAS.

« Voilà, c'est arrivé, dis-je à Sofia qui me regardait médusée, c'est ce que le Capitaine redoutait ! »

Et attrapant mon chapeau, je m'élançai vers la porte.

« Votre petit déjeuner... » s'écria Sofia en courant derrière moi.

Assis sur le siège arrière de ma voiture, je laissais se dérouler le trajet habituel. À travers la vitre, ce matin-là, les mouvements des passants avaient une allure étrangement monotone, saccadée. Le soleil se reflétait sur les façades des bâtiments, enlevant tout leur poids aux colonnes, donnant aux toits des airs de décors en papier. C'était bien ce que je voyais d'habitude, et pourtant tout semblait changé. Sur la place Kolonàki, avec son rond central appelé « bidet », aujourd'hui disparu, quelques noctambules, pâles comme la cendre, buvaient le fond amer de leur café.

À côté du bâtiment de l'Institut Britannique, le concierge d'un immeuble secouait le paillasson de l'entrée avec une insupportable insistance. Des particules de poussière volaient partout, assombrissant la clarté attique. Comme si un nuage de pollution s'était formé avant l'heure. Puis, au coin de la rue Koumbàri et de l'avenue de la Reine-Sophie, le bâtiment du Vieux Palais vint se dresser devant moi, se découpant avec ses fleurons pareils à des créneaux, son drapeau déployé, ses alignements d'étroites fenêtres, au-dessus des colonnes qui soutenaient le portique de l'Assemblée.

C'est alors que l'agent de la circulation dans l'avenue nous arrêta. J'ignorais ce qui se passait, pourquoi les feux avaient cessé de fonctionner. Là, seul sur le siège arrière, isolé, muet, je me rappelai soudain la première scène d'un film de Fellini. J'avais le même sentiment d'asphyxie, j'avais envie, comme le héros du film, de sortir par la fenêtre et de monter sur le toit de la voiture. Partout autour de nous, des klaxons assourdissants. « Une manifestation », m'informa la voix monotone de mon chauffeur. Le gant blanc de l'agent fit un signe vers nous, et comme nous démarrions brusquement, je fus projeté en arrière. Je sentis un vide à l'estomac et en même temps une envie de vomir.

Je marchais, déjà en retard, dans le couloir de notre étage, quand le conseiller E., élégant, la raie impeccable, avec son nez en bec de perroquet, me prit par le bras.

« Tu as sûrement lu la nouvelle », dit-il, tandis que nous marchions tous deux vers le vestiaire. « Pour moi du moins, il n'y a pas le moindre doute, cet ASPIDAS relève de la pure mise en scène. »

« Et cette ingérence du fils Papandrèou, qu'en penses-tu ? » disait le maître des requêtes B. aux lèvres sensuelles, tandis que nous revêtions nos toges côte à côte. « J'ai entendu dire que le père et le fils étaient en bisbille. »

Madame Melpomèni mettait de l'ordre dans ma tenue, et moi je tentais en vain de faire de même dans mes pensées. L'affaire du Capitaine était la première à l'ordre du jour.

Nous entrâmes, les uns par la porte de droite, l'autre moitié par celle de gauche. Les mêmes personnages, les mêmes préparatifs, la même salle, et aussi, hélas ! absolument la même argumentation. Car je dois te l'avouer ici, j'avais eu beau éplucher le dossier du Capitaine, je n'avais guère trouvé de nouveaux arguments que je puisse opposer à la décision du Conseil des Promotions.

Mais comment convaincre mes pairs à propos de Kakoulàkos et de tous ceux de son espèce, comment leur décrire la situation dans l'Armée, les têtes noires et autres têtes dures qui tenaient le Capitaine comme dans un étau ? Je tentai de rappeler indirectement des événements récents connus de tous, en rapport avec l'Armée, qui avaient mis le pays en émoi, et je tirai le signal d'alarme. Je tentai aussi de leur faire comprendre ce que représenterait un nouveau désaveu du commandement militaire à une éventuelle décision favorable de notre part.

« Car il s'agit d'un désaveu, insistai-je, c'est évident. Les refus d'avancement étaient tous annulés, donc inexistants. »

Le Président m'écoutait, impassible. Derrière ses lunettes à double foyer, son regard était vitreux comme celui d'un mort. Et les autres juges hochaient de temps en temps la tête, comme pour témoigner du bien-fondé de mes dires.

Le seul qui parût être en vie, c'était le requérant. Assis en face de nous, au premier rang, il avait les yeux fixés sur moi. Son regard n'était en rien triomphant.

Sans doute exprimait-il une conviction, mais une conviction folle proche du désespoir ; la rage d'un être affaibli, qui ne peut échapper aux coups du destin. Sombre, farouche, il brillait d'une lumière noire. De plus, à côté de lui, la place traditionnellement occupée par une jeune femme vêtue de noir était vide, béante. Marìa n'était pas là. Ce qui le faisait se raccrocher à moi plus encore. Je le sentais buvant chacun de mes mots, secoué par chacune de mes phrases. Je doute qu'il ait encore compris leur sens. C'était seulement ma présence, le ton de ma voix, qui le fascinaient. Il avait l'air d'un homme enfermé qui sans arrêt se cogne violemment la tête contre un mur. Je voyais cet homme avec terreur. Je voyais aussi les regards des autres juges posés sur lui, comme s'il se fût agi d'une espèce d'animal rare qu'on amenait enchaîné dans la salle pour l'exhiber. L'accusateur se changeait en accusé. C'était bien clair. Tout le reste n'était que des mots.

Dans le silence de la salle, j'entendis un téléphone sonner au loin. C'était la première fois que j'entendais le téléphone pendant une audience. Il sonnait de façon prolongée, menaçante, comme s'il y avait deux fous, l'un décidé à ne pas décrocher, l'autre qui insistait, le combiné à la main. Personne dans la salle ne semblait entendre – tournés vers moi, tous m'écoutaient, comme envoûtés. Je prononçai encore quelques phrases molles et sans vie, et conclus mon discours sous l'empire de la plus violente consternation que j'eusse jamais connue dans ma carrière.

Dans le couloir le Capitaine m'attendait.

Il me remercia une fois de plus. Il me serra la main passionnément, avec une force surnaturelle, comme s'il tentait d'éterniser notre poignée de main, comme si c'était son seul moyen pour communiquer désormais. Je le vis traverser le long couloir, qui semblait un champ de mines à présent, d'un pas comme toujours obstiné, réglé par cette discipline idéale qu'il tentait de s'imposer. J'avais l'impression que cet homme, d'un instant à l'autre, allait tomber pour ne plus se relever. Je regrettais presque mes paroles au tribunal. Je ne croyais plus aux chances du beau Capitaine. Pour moi, c'était clair. Et cela devait aussi, je pense, l'avoir été pour les autres.

20

Pendant les jours qui suivirent, en cet été de soixante-cinq, j'eus l'impression d'être suivi par une ombre. Par quelqu'un qui avait cessé d'être jeune, mais sans avoir vraiment mûri, qui avait quitté les rangs de l'Armée sans devenir civil. Chaque fois qu'il m'apparaissait, aux moments les plus imprévus, tandis que j'étudiais un dossier ou que je bavardais avec un collègue, sa présence m'emplissait de tristesse, et en même temps d'une crainte inexplicable. Tantôt j'avais l'impression que cet homme était détenteur d'un secret me concernant, tantôt je pensais avoir seulement affaire au pensionnaire d'un asile d'aliénés, et je me hâtais de demander de l'aide à la personne la plus proche.

« Hier soir, vous avez encore crié en dormant », me dit Sofia un matin en me servant du thé et des biscottes. « Je vous ai secoué pour vous réveiller, mais vous n'avez rien senti. Mangez, dit-elle, vous ne mangez rien ces temps-ci. »

« Ne t'inquiète pas, lui disais-je en buvant une gorgée qui me requinquait, j'ai fait un cauchemar, c'est oublié. »

Un soir, vers la mi-juillet, le téléphone sonna. Je décrochai avec un mauvais pressentiment. Nous avions déjà eu droit à la démission de Papandrèou et le bruit courait qu'un groupe de députés – ceux qui sont restés dans l'Histoire sous le nom de Renégats – se préparaient à demander le vote de confiance à l'Assemblée. C'était le conseiller D.

« Bonsoir, me dit-il, j'espère ne pas troubler ta quiétude. »

Je devinais à l'autre bout du fil ses traits secs, ses tempes grises.

« Non, dis-je, mais raconte, que se passe-t-il ? » Car c'était lui qui m'avait annoncé l'assassinat de Lambràkis.

« Il y a eu des heurts aujourd'hui entre la police et les étudiants. La manifestation est partie des Propylées en direction de l'Assemblée, mais elle a bientôt tourné à l'émeute. Tu verrais la rue Stadiou, tu ne la reconnaîtrais pas : vitrines brisées, barricades, blessés... »

« Quoi d'autre ? » demandai-je, car comme tu le comprends bien, ce n'était pas vraiment là qu'il voulait en venir.

Il toussota une ou deux fois avant de répondre.

« Un jeune a été tué, dit-il. Devant l'hôtel Esperia. »

Je restai muet.

« À cause des gaz lacrymogènes. Selon d'autres, à cause des matraques. »

Tous les mots s'étaient effacés, il n'en restait qu'un : jeune. Je le voyais devant moi, écrit en lettres rouges, comme un slogan sur le mur de ma maison.

Nous commentâmes un instant la situation, puis il raccrocha.

« Qu'est-ce qui se passe ? » demanda Sofia en servant mon dîner. Elle avait dressé l'oreille, comme un chien de garde.

Je lui expliquai en deux mots.

Je mangeai dans une atmosphère de tristesse.

« Ça devait arriver, explosa-t-elle bientôt, allant et venant dans la cuisine, quand on voit ce qu'on a au gouvernement, des gens qui ne respectent rien, ça devait arriver qu'on tue des enfants ! »

J'allumai la radio pour écouter les informations de minuit.

Elles mentionnaient les heurts entre police et étudiants. Quant au mort, pas un mot.

« Peut-être que ce n'est pas vrai », me dit-elle avec un fol espoir.

Nous nous regardâmes. Et alors, pendant la fraction de seconde qui suivit, chacun lut dans les yeux de l'autre qu'en fait, ce ne pouvait être que vrai.

« Dormez tranquillement », dit-elle en me souhaitant bonne nuit.

Cette nuit-là je vis le Capitaine. Cela faisait bien longtemps que je ne l'avais vu ainsi, en uniforme, très beau, avec une petite moustache blonde qui lui avait poussé soudain, et rayonnant, tandis qu'il marchait dans le Jardin Royal en compagnie d'une jeune femme qui n'était pas Marìa. C'était une fille très laide, qui visiblement ne lui convenait pas, mais il la tenait obstinément par la taille. Il avait les yeux tournés vers les bâtiments du Vieux Palais, et en particulier vers le deuxième étage. Un drapeau en berne flottait aux créneaux. Dès qu'il se rendit compte de ma présence – car pour je ne sais quelle raison je me trouvais aussi dans le Jardin – il abandonna la jeune femme et courut vers moi en criant : « On a gagné, monsieur le Conseiller, on a gagné ! »

Alors je m'éveillai.

Et en effet, à peine quinze jours plus tard – le premier gouvernement des Renégats venait de prêter serment –, dans la chaleur intenable de juillet, notre tribunal, pour la troisième fois, annulait la sentence du commandement militaire.

Pour la troisième fois, le Capitaine repartit avec la copie de la décision. Sa joie ne saurait se décrire. C'était une vengeance triomphale ; une charge de démons s'était emparée de son âme. Il ressemblait à la Némésis porteuse du châtiment. C'est ainsi qu'il me prit le papier des mains, comme pour aller le leur coller à la figure. Il ne pouvait se retenir. Visiblement, il ne se contrôlait plus. Passant devant le greffe, il s'arrêta un instant et brandit le papier en direction de notre Sénateur. Je la vis perdre sa couleur, jaunir. J'en fus tout réjoui moi aussi. Dans le fond, quelques gratte-papier fourrageaient dans leurs paperasses, et le Chameau, portant une pile de dossiers, traînait les pieds désespérément. Il leur rit au nez et poursuivit sa route dans le couloir qu'assombrissaient, telles de grandes araignées, les nuages menaçants d'une averse d'été. Cette fois, il était indiscipliné pour de bon. Il ne rappelait plus en rien, dans son costume civil, le jeune Capitaine que j'avais croisé, des années plus tôt, dans ce même couloir du Conseil d'État. Il avait une fixité dans le regard, des cheveux plus longs, et sa démarche était celle d'un homme qui boit. Pourtant, et comme par miracle, il continuait d'être beau.

On eût dit que les dieux qui lui avaient fait ce don lui avaient accordé la grâce ultime – vu la résistance qu'il avait dû leur opposer – de lui offrir encore le privilège de la beauté. Et qu'il avait gardé le droit d'abandonner Perséphone et de retourner provisoirement auprès d'Aphrodite. Car il avait trente-trois ans, trente-cinq au plus si je ne m'abuse – à peu près comme toi.

J'avais pris mon congé d'été. Cette fois, au lieu d'aller sur une île proche, Égine ou Poros, je m'étais retrouvé dans la ville d'eaux d'Hypàti. Des douleurs persistantes aux articulations en avaient décidé à ma place.

Pendant des heures, dans un hôtel d'une propreté douteuse, j'agitais mon komboloï en contemplant des grosses dames et des vieillards décharnés qui jouaient aux cartes. Un jeune serveur aux boucles blondes, qui étouffait dans sa tenue blanche, servait des limonades fraîches. De grosses mouches de saison allaient et venaient, se posant sur les assiettes sales et le sucre renversé. Des nuages peu pressés de crever traînaient nonchalamment à l'horizon. J'ouvrais les journaux, et aussitôt les laissais retomber sur mes genoux. Leur second gouvernement, celui de Tsirimòkos, était tombé, et le troisième, de Stephanòpoulos, avait prêté serment.

« Carré d'as », disait une voix venant de la table voisine, et une autre répondait : « Flush ! » Des rires invisibles agitaient les tapis verts.

Dix-sept officiers, parmi lesquels le colonel Papatèrpos, étaient traduits devant le Tribunal militaire d'Athènes sous l'accusation de menées subversives au sein de l'Armée. Le nom du fils Papandrèou était également cité.

« Une limonade, commandai-je au serveur qui passait près de moi, faites vite, je vous prie », et je regardais ses boucles blondes voleter sous les ventilateurs.

Dans une salle de l'hôtel, une radio enrouée décrivait les visites habituelles des dirigeants politiques et le déroulement de manœuvres au cours desquelles un petit avion de chasse était tombé, entraînant son pilote. Une dame aux paupières lourdes avec un éventail me faisait des signes de loin. Ce devait être l'épouse d'un ancien député ou d'un directeur de banque, sa physionomie m'était vaguement familière. Je repris mon journal. Je continuai de jouer avec mon komboloï en contemplant le vide. Tous les soirs, pour la première fois de ma vie, sous la pauvre lumière de ma chambre d'hôtel, je lisais des romans policiers.

À la mi-septembre, j'étais de retour à mon poste.

Je les trouvai tous en forme et bronzés, plus que jamais enclins aux discussions. Cette fois l'affaire du Capitaine commençait à être discutée largement, pour son contenu juridique mais aussi pour ce qu'elle avait de plus en plus exemplaire. Que ferait le commandement militaire ? Allait-il s'obstiner, ou reculer ? Le conflit allait-il s'éterniser, ou prendre fin ? De quel côté pencherait finalement la balance ? Ils interrompaient les discussions sur le Capitaine pour en commencer d'autres sur les Renégats et la nouvelle résistance du Vieux, comme si c'étaient là des sujets parallèles qui les absorbaient autant l'un que l'autre.

« Tu as entendu ce qu'a déclaré le Vieux hier ?, disait dans les couloirs le conseiller D. aux tempes grises. "L'Union du Centre s'est divisée au sommet tout en devenant géante à la base", qu'en pensez-vous ? »

« Jolie formule, lui répondit le conseiller A. Quant au contenu, si tu permets, zéro », et il lissait de la main sa vénérable chevelure.

Le seul à garder ses distances, c'était moi. Celui qui avait montré tant d'intérêt pour l'Armée se taisait à présent. Inversement, ceux qui étaient restés muets si longtemps se faisaient intarissables. Nos couloirs étaient devenus des officines de paris, où chacun déposait sa mise avant de surenchérir.

« Combien de temps crois-tu que Stephanòpoulos va durer ? disait le maître des requêtes B. en claquant ses lèvres sensuelles. Moi je ne lui donne même pas six mois. »

« Toi, qu'en penses-tu ? demandait le conseiller E. au nez crochu, accepteront-ils de le reprendre ou vont-ils encore s'en débarrasser ? »

« Et ensuite, que fera-t-il ? » s'écriait, tout excité, le maître des requêtes G. derrière ses petites lunettes.

Et moi je ne savais plus de qui ils parlaient. Du chef du gouvernement ou d'un Capitaine ? On eût dit que se réveillaient en eux, soudain, les jeux du cirque. Ils souhaitaient, j'en étais persuadé, davantage de Renégats ; ils souhaitaient aussi une nouvelle résistance du commandement militaire, et attendaient plus que tout un nouveau relèvement du Capitaine, de l'indiscipliné Capitaine, pour apaiser leur appétit. Ils voulaient des victimes, et les voulaient sanglantes.

J'en viens sans doute à exagérer. Je suis violemment injuste, peut-être, avec une partie de mes collègues, qui avaient montré de l'intérêt pour moi, du bon sens et même, si tu veux, de la sagesse. Pourtant, quelque chose de sombre planait autour de moi, dans ce corps social dont je représentais une partie moi aussi ; un nouveau *modus vivendi* qui me rendait mal à l'aise, auquel j'étais incapable de m'associer.

Je le voyais chaque jour dans les rues, avec les troubles étudiants sans cesse plus fréquents, les mobilisations de travailleurs de la presse, des ouvriers du bâtiment, je le voyais dans les monstres sortis de terre qui jetaient leur ombre sur les édifices d'Athènes, bâtis avec amour, en d'autres temps, à l'échelle de la terre attique ; les nouveaux immeubles avaient quelque chose de rapace ; leur construction, semblait-il, n'avait pas fait couler une sueur propre. Cet air de saleté se retrouvait aussi dans les rues où se pressaient chaque jour des cohortes de piétons venus de la province, et de voitures qui arrivaient sans cesse avec de nouveaux numéros, comme si celles-ci entreprenaient de supplanter ceux-là en un combat inégal. Et c'étaient aussi les cohortes de politiciens qui se succédaient, droitiers ou centristes, ayant désormais jeté les masques, et qu'apparemment une seule chose intéressait : profiter du pouvoir, en tirer de l'argent. Pour moi, tout cela ressemblait à un vain effort pour éviter un destin qui se rapprochait du pays sans rémission. Dans le même temps, le Palais se taisait hautainement, tandis que de son côté l'Armée s'entourait d'un silence assourdissant.

22

Ce matin-là – ce devait être à l'automne de soixante-six –, avant d'entrer dans mon bureau, je m'attardai dans les couloirs.

« Hier soir à la réception tu brillais par ton absence », me dit le maître des requêtes G.

Et le Conseiller E. d'ajouter en clignant de l'œil :

« Dieu sait qui est celui, ou plutôt celle dont il a préféré la compagnie. Enfin... »

Je les vis s'éloigner en riant dans le couloir, arrangeant leurs collets dont le blanc moussait dans le velours, et il semblait sortis d'une comédie de Molière – ces robes devenaient ridicules ! Une angoisse pesait sur ma poitrine, et je ne savais à quoi l'attribuer.

À la porte du greffe, je m'arrêtai et jetai un coup d'œil machinal.

« Bonjour, monsieur le Conseiller. » C'était la voix

de Phòni qui s'adressait à moi. « Venez, je vous prie, j'ai quelque chose pour vous. »

J'étais habitué désormais aux lubies de la vieille fille, et j'entrai sans y attacher d'importance, en jetant un coup d'œil aux gratte-papier.

« Bonjour, monsieur le Conseiller », dirent certains d'entre eux ; l'un donnait des coups de tampon, un autre ricanait.

« Asseyez-vous, dit le Sénateur, donnez-vous la peine, je vous prie, monsieur le Conseiller, de vous asseoir un instant. »

Je m'exécutai.

Une nouvelle requête en annulation émanant du Capitaine avait été déposée au greffe. La quatrième consécutive. Le dieu de la bureaucratie – mademoiselle Phòni – l'agita triomphalement dans ma direction.

Je mis mes lunettes et la parcourus en silence. Personne ne soufflait mot.

« Voyez, monsieur le Conseiller, dit enfin le Sénateur, brisant le silence, à quel point nous en sommes », et, repoussant ses papiers, elle ouvrit devant moi le journal Kathimerini qu'elle tenait plié.

Sur toute la première page était annoncée la sentence du Tribunal militaire concernant l'ASPIDAS. Dix-huit officiers étaient condamnés à de très lourdes peines ; le procureur s'était déchaîné.

« Dieu punit », dit le Sénateur, épigrammatique.

Autour de nous, les gratte-papier penchés sur leurs bureaux chuchotaient en jetant vers moi des regards furtifs. Dehors, à nouveau, il y avait un soleil aveuglant.

Je ne sais quel dieu ou quel démon donnait à cette femme la force de s'exprimer ainsi pendant les heures de service. Elle était devenue, depuis six ans que nous avions affaire au Capitaine, plus laide que jamais.

Avec son nez pointu, les minces fentes de ses yeux comme des soupirails de l'enfer, et sa perruque majestueusement gonflée sur le dessus, à côté de la pile où s'entassaient, véritable Mont Thabor, les dossiers des requérants.

Je ne lui répondis rien et m'enfermai dans mon bureau. Il était à peu près sûr qu'un jour prochain, sinon le jour même, je recevrais la visite du Capitaine. Pendant toute cette période, où nous gardions le contact par téléphone, j'avais eu soin de maintenir nos conversations sur le plan professionnel. Je ne les avais jamais laissées devenir intimes, de peur d'être confronté aux effusions de cet homme, à son élan vers moi, à cette indiscipline qui avait enfin éclaté au grand jour, tournant à l'arrogance, atteignant les sommets d'un désespoir triomphant. C'était comme si nous avions mis au point un code entre nous. Si bien qu'un matin, quand j'entendis frapper à la porte de mon bureau, je sus que c'était lui.

Mais quel spectacle se présenta devant mes yeux !

Un homme entre deux âges, dans le même costume gris désormais froissé et taché, s'avançait vers moi d'un air las, les tempes grises elles aussi, le regard soumis. On eût dit que les condamnations des officiers venaient seulement d'être annoncées, s'accumulant sur ses épaules et tuant tout espoir. Il marchait vers mon bureau, sans hâte, comme si une distance énorme nous séparait. Son pas était si lent, si funèbre, que je me levai machinalement pour aller à sa rencontre, afin de lui raccourcir la distance et réduire ses efforts. Je me rappelai soudain le proverbe italien : « *A morire sempre e tempo* » : « il est toujours temps de mourir ». Ne te presse donc pas ! semblait lui dire le destin.

Je lui montrai le fauteuil et m'assis en face de lui. Il me regardait sans un mot, avec un vague sourire.

« Je suis content de te voir », me forçai-je à dire.

« Moi aussi, monsieur le Rapporteur », dit-il d'une voix égale où je reconnus comme un écho de sa voix ancienne. Il ne me donnait pas mon titre, il ne reconnaissait plus en moi que mon rôle de rapporteur. « Cela fait combien de temps, dit-il, un an au moins... »

« Quelles nouvelles, demandai-je, que fais-tu en ce moment ? »

« J'attends », dit-il.

« Alors tu ne fais rien ? le réprimandai-je, tu n'as rien pour t'occuper ? On ne doit pas rester inactif à ton âge. »

À ce mot d'âge il eut un sourire sarcastique. Je voyais en lui un jeune homme, alors que sa jeunesse était visiblement derrière lui.

« Je reste chez moi à travailler, dit-il vaguement. Je rédige des requêtes d'officiers, je fais quelques petits travaux ennuyeux, des traductions de textes militaires. Ça aide. Et puis... je dessine. Mais cette fois, sans but lucratif », ajouta-t-il avec un nouveau sourire sarcastique.

« Je ne savais pas que tu dessinais. »

« En amateur. Mais maintenant que j'ai du temps libre, je n'arrête pas de gribouiller. Je vous ai apporté aujourd'hui un petit échantillon de mon travail. »

Et il sortit de sa poche intérieure un dessin qu'il me tendit. On y voyait un homme jeune dans un uniforme aux galons étincelants. Un fusain, de facture un peu gauche, où l'on devinait pourtant une lutte pour l'expression et même, peut-être, de la douleur. Le jeune homme du dessin devait être un officier qu'il avait connu naguère. Ou peut-être, pensai-je, avait-il tenté de se représenter lui-même. Du moins tel qu'il était avant, autrefois.

« Cela ne manque pas de vie », dis-je.

En fait c'était plus qu'un portrait vivant : un véritable hommage funèbre.

151

« Je vous l'ai apporté en cadeau », dit-il.

Je pris le dessin avec gêne, puis l'installai contre mon agenda de bureau, presque debout.

« Je te remercie. Tu mènes maintenant trois à un : je t'ai fait un cadeau, tu m'en as fait trois », dis-je pour tenter de réchauffer l'atmosphère.

Il me regardait sans rien dire.

Nous restions silencieux, les yeux tournés vers la fenêtre et le Jardin dehors. Des gazouillis parvenaient à nos oreilles, isolés, mourants.

« Et ta famille, demandai-je, ne pouvant supporter plus longtemps le silence, pourquoi ne vas-tu pas la voir et te reposer un peu ? Tu ne crois pas qu'il est temps de m'envoyer des figues et des raisins secs à nouveau ? C'était si bon », dis-je pour le réconforter.

« Eh oui, c'était bon », murmura-t-il, mais on sentait bien qu'il ne pensait pas aux figues et aux raisins secs.

« Et avec Marìa, où en êtes-vous ? dis-je pour changer de sujet. Tu la vois encore ? »

Il leva vers moi un regard brouillé, comme recouvert de brume.

« Marìa s'est fiancée ; à l'heure actuelle, il se peut même qu'elle soit mariée. »

« Avec qui ? » demandai-je impulsivement.

« Oh, quelqu'un, dit-il avec indifférence, un commandant ou un colonel, je crois. »

Nous restâmes un instant sans rien dire.

« Cette demoiselle, dis-je, a eu très tôt un faible pour l'Armée. »

« Sauf qu'elle s'est trompée dans le décompte des étoiles », dit-il avec une grimace.

« Ne t'en fais pas, dis-je, te voilà civil maintenant. Tu es supérieur au premier galonné venu. »

Il me regarda comme autrefois, quand il refusait de comprendre et que son regard devenait morne et vide.

« Écoute, lui dis-je résolument, il est temps de te

faire à l'idée, de tourner la page. Il faut que tu fasses des concessions, tu n'es plus un enfant. »

« Des concessions, comment ça ? Encore d'autres ? »

« Abandonne l'idée de la requête. Jette-la, déchire-la. Oublie l'Armée. De même qu'elle t'a oublié. »

Il me regarda dans les yeux.

« Je ne peux pas », dit-il, très calmement, l'air résigné.

« Mais pourquoi ? » insistai-je.

« J'y suis trop habitué. »

Il en parlait comme si c'était de l'alcool, du tabac, de la drogue, et tout ce qui crée une dépendance. Sa drogue à lui, c'étaient les recours à répétition. Chose affreuse, il ne pouvait plus vivre sans eux.

« Et cette fois, demandai-je, qu'est-ce qu'ils te reprochent ? »

Il sortit de sa poche intérieure, lentement, un papier tout déchiré qu'il déplia et posa sur mon bureau.

« Mélancolie, cyclothymie, tendances dépressives, état nécessitant des soins. Inapte à la vie militaire. »

Il replia le papier n'importe comment et sans un mot le remit dans sa poche. Il n'aurait pas fait autrement pour me montrer ses papiers d'identité.

« Ils ont sans doute rêvé tout cela, dis-je, mais comment veux-tu qu'après un tel jugement ils n'ignorent pas notre verdict une fois de plus – à supposer qu'il soit, contre toute attente, favorable encore ? »

Il haussa les épaules comme s'il s'en moquait. Comme si c'était la dernière chose qu'il eût envisagée.

« Et je te préviens, poursuivis-je, il est probable que cette fois je ne serai pas le rapporteur. Je ne peux plus l'être, comprends-tu ? »

Ce fut comme si j'avais dit : je ne veux plus. Il me regarda comme un animal blessé. Ce n'était plus un lion – rien qu'un cerf blessé, vieillissant, rejeté par le troupeau.

« Je ferai tout mon possible, dis-je en détournant les yeux, mais je ne peux rien te garantir. Ce serait un peu scandaleux que je me charge une nouvelle fois de ton affaire. Cela prendrait un caractère personnel, tu dois le comprendre. »

Il comprenait, mais cela ne changeait rien.

« Eh bien tant pis, dit-il en faisant mine de se lever, j'y arriverai peut-être tout seul. »

À ce moment-là j'eus l'impression qu'il était prêt à accepter n'importe quel rapporteur. Il ne dépendait plus de moi. Il n'était plus attaché à telle ou telle personne. Son seul souci : s'assurer du soutien de l'un des rapporteurs. Cela lui suffirait. Et moi, du même coup, je serais libéré de mes remords.

Il avait trente-cinq ans à peine, et déjà des cheveux couleur de cendre, un visage affaissé, une peau flétrie. Moi non plus je ne dépendais plus de lui. De son charme ancien il ne restait plus que la noblesse, et encore, de loin. Quant à sa beauté, elle ne brillait que sur son front – la même blancheur, froissée, assombrie par les rides.

Nous échangeâmes encore quelques paroles vides et languissantes, puis il se leva pour partir.

Il me serra la main par habitude. Et moi, par habitude, je le regardai longer le couloir, qui en cette journée-là, nuageuse et glaciale, était spécialement sombre, ce qui donnait aux boiseries un aspect déprimant. Ses pas l'entraînaient avec sûreté vers la sortie qu'il connaissait si bien. À cela près que maintenant il traînait les pieds. Comme s'il avait quitté ses chaussures pour des pantoufles. Je remarquai certains regards qui le suivaient par les portes ouvertes, ceux de collègues, d'employés de bureau, d'huissiers même – sans oublier le museau du Chameau. Mais il n'excitait même plus la curiosité. Il était devenu un mal nécessaire.

Je rentrai dans mon bureau, où le dessin était posé contre mon agenda.

23

Je terminerai rapidement cette histoire.

Nous étions à la fin de soixante-six et tout le monde, au Conseil d'État, chuchotait que nous allions vers un nouvel affrontement électoral ; on entendait même, « de source sûre », les noms de certaines personnes « agréées par tous » qui allaient constituer le gouvernement provisoire. Dans les couloirs l'obscurité s'étendait. Aucun rayon de soleil en ce mois de décembre. Je ressentais brusquement la pression du travail quotidien, et aussi le poids des ans.

« Le temps est venu de te retirer », me disais-je.

Un vent d'inquiétude soufflait de partout, m'incitant à m'isoler chez moi dans mon bureau, avec pour compagnie quelques amis, mes livres et ma musique. Je voulais seulement laisser passer quelques mois, jusqu'à mes vingt-cinq ans de service, pour m'assurer une retraite convenable.

Pendant ce temps, les discussions dans les couloirs continuaient sans relâche, et tout le monde pariait sur l'issue des événements. Nous étions à la veille d'élections prévues pour mai 1967, et Papandrèou annonçait son entrée dans Thessalonique « sur un cheval blanc ». Certains optimistes disaient que « la démocratie l'emporterait », et d'autres, particulièrement pessimistes, hochaient la tête.

« Eh bien, il va y arriver, le petit Panayòtis ? »

s'écriait le maître des requêtes B. à son entrée dans mon bureau, faisant allusion à Kanellòpoulos. « En tant qu'orateur je le trouve correct, en tant qu'homme politique il me laisse froid. Tu es d'accord ? » Et il claquait ses lèvres sensuelles d'un air entendu.

Seuls les militaires gardaient le silence ; on eût dit que les jeux étaient faits, qu'ils avaient déjà gagné la partie. Une atmosphère trouble pesait sur l'Assemblée, avec laquelle le destin nous avait fait cohabiter. Les autres persistaient à y voir une coïncidence ; pour moi il s'agissait d'un signe révélateur.

Entre-temps, il y avait eu un nouveau recours du Capitaine et l'annulation correspondante. Quant à moi, j'avais pris mes distances. Le président avait eu beau vouloir me confier de nouveau l'affaire, j'avais invoqué des raisons de santé pour m'en décharger sur le dos des collègues.

Nous enfilions nos toges dans le vestiaire, côte à côte, le maître des requêtes G. et moi. Nous parlions de choses et d'autres, mais je sentais ses yeux de myope, cerclés d'une monture dorée, braqués sur moi. Ils semblaient dire : « Comment peux-tu t'être désintéressé aussi vite ? » Et chaque fois que je me tournais vers un autre collègue, je sentais ses yeux à lui aussi qui me suivaient. Mais ce n'étaient pas les seuls. Dès que j'entrais au greffe, j'étais confronté au regard du Sénateur. Cette fois elle ne m'accusait pas de venir en aide au Capitaine. Au contraire, elle me reprochait de l'avoir abandonné. Je la laissais me regarder elle aussi. Au fond, pourtant, j'étais sûr qu'elle ne s'y intéressait plus. Dépouillé de son uniforme, il était sans doute, à ses yeux, dépouillé désormais de tout prestige. Quant aux gratte-papier, ils paraissaient totalement indifférents. Pour eux l'affaire du Capitaine semblait n'avoir jamais existé.

Je ne saurais te dire – car tu pourrais te poser la

question, à juste titre – ce qui amenait notre Conseil à annuler les décisions des militaires. Était-ce de la compassion à l'égard d'un vieux client du tribunal ? De l'indulgence vis-à-vis d'un malchanceux – une indulgence qui jamais, même dans les pires circonstances, ne s'écarte du Droit ? Ou bien peut-être un remords des juges, d'avoir traité cette affaire, dès le début, avec une telle négligence ? En tous cas, l'annulation semblait motivée une fois de plus par un simple vice de forme. Quant aux militaires, ils avaient sûrement une raison pour l'éloigner. Mais qu'auraient-ils pu faire d'autre, à supposer qu'ils se soient calmés entre-temps ? Le Capitaine était maintenant un homme inutile. Nous apprîmes d'ailleurs, plus tard, qu'il était entré dans une clinique psychiatrique.

Et c'est ainsi qu'en soixante-sept, début avril, notre Conseil annula pour la dernière fois la décision du Conseil des Promotions.

24

Et j'en arrive au dernier acte de la pièce.

Le coup d'État des Colonels avait eu lieu, plongeant le pays dans le chaos. Certains hommes politiques étaient assignés à résidence, « entourés de gendarmes et de roses », selon l'expression du vieux Papandrèou, et d'autres moisissaient en prison. D'autres encore avaient choisi l'exil. Il y en avait aussi quelques-uns, bien sûr, qui se gardaient une poire pour la soif, prêts à collaborer, dès la première occasion, avec la nouvelle équipe.

Un dur hiver commençait pour le pays. Étudiants, classes populaires, classe politique, se trouvaient unis pour la première fois. Ces chaussures foncées, parfaitement cirées, aux lacets bien noués, ces uniformes soignés, impeccables avaient fait leur œuvre. Tous ceux parmi nous qui avaient encore un idéal, mais aussi tous ceux dont les intérêts étaient sérieusement menacés – et ils étaient nombreux, comme cela fut prouvé plus tard – se retrouvèrent coalisés. Nous n'avions jamais connu, je crois, une telle unanimité, même pendant la dernière guerre.

J'étais confronté chaque jour au spectacle de l'Assemblée fermée, gardée par des policiers ou des soldats ; j'avais l'impression que l'étage en dessous de nous avait été vidé, qu'on avait démoli les beaux marbres et jeté les bancs dans le poêle d'un camp militaire quelconque. Mais au Conseil d'État lui-même, où l'ordre régnait en apparence – les robes étaient toujours aussi vénérables, et les collets pliés avec la même grâce –, l'écho des événements parvenait avec des conséquences imprévues. À preuve l'exemple d'un collègue plus jeune, le maître des requêtes P., qui se trouva d'abord détenu par les autorités militaires, puis déporté, avant de finir emprisonné tel un vulgaire condamné de droit commun. Les attendus : « Participation à la constitution d'une association de malfaiteurs et menées subversives en tant que membre d'une organisation clandestine. » Je ne sais comment réagirent mes collègues du Conseil d'État ; quant à moi, je n'y étais plus, ayant pris ma retraite.

Pourtant, j'avais gardé mes habitudes. Parfois, le matin, quand le temps et l'humeur m'y incitaient, j'allais en promenade jusqu'au tribunal. J'y étais toujours reçu, je dois le dire, avec chaleur, n'étant plus en activité, sans compter que naturellement je n'étais pas le moins du monde soupçonné de « menées subversives ». Je m'en réjouissais, je ne le cache pas, comme tout retraité qui garde en lui le désir de revenir sur son lieu de travail, et de recueillir les doux fruits de son labeur. J'aimais à me plonger dans la chaleur des bureaux, dont les boiseries me donnaient un sentiment de sécurité, je me plaisais même à errer dans le dédale bien connu des couloirs.

C'est dans ces mêmes couloirs que j'entendis parler pour la première fois d'une rumeur qui courait dans le service, à propos d'un vieux client du tribunal qui hantait les lieux, importunant le greffe, exigeant qu'on recherche son dossier, invoquant Dieu sait quelle affaire qui selon lui restait en souffrance.

« C'est un homme étrange », me confia un jeune rapporteur avec lequel je m'étais lié d'amitié. « Vous ne pouvez pas vous imaginer, me dit-il, tout le monde le voit et personne ne le connaît. Il soutient qu'il a une affaire en souffrance. »

« Mais qui est-ce donc ? » lui demandai-je, tandis que s'éveillait en moi une curiosité qui touchait des cordes profondes.

« Je vous le montrerai un jour, dit le rapporteur, il nous visite régulièrement. Il porte une vieille gabardine élimée qui lui descend jusqu'aux chevilles, et tient une drôle de serviette, usée elle aussi. Il est toujours fourré au greffe, ne cesse d'affirmer qu'il a une affaire en souffrance, cherche à savoir si la décision a été prise et publiée au Journal Officiel. Et quand on lui répond : "Quelle décision ?", il soutient qu'il gagnera. Il a un argument irréfutable, à son avis. "Justification insuffisante". Voilà le nom qu'il lui donne. »

« Vraiment, je serais curieux de le voir », dis-je distraitement.

« Vous le connaissez sans doute, dit mon jeune collègue, puisqu'il paraît qu'autrefois il a eu effectivement recours à notre Conseil. »

« C'est possible », me hâtai-je de dire, car j'avais

senti une inflexion étrange dans sa voix. « Mais pour l'instant je ne vois pas. »

Et profitant de ce que nous étions dans un coin isolé du couloir, je lui demandai si nous avions des nouvelles du maître des requêtes P.

Il ne répondit pas tout de suite, mais se retourna en regardant autour de lui. « Ils l'ont mis en prison », dit-il en baissant la voix. « Et quelles sont les perspectives ? » « Rien pour l'instant, dit-il à voix basse toujours, en fait il n'y a aucun espoir », et sous un vague prétexte il me quitta pour rejoindre en hâte son bureau.

En passant devant le greffe je jetai un coup d'œil à l'intérieur. Mademoiselle Phòni avait pris sa retraite. La silhouette inflexible du Sénateur avait fait place à une jeune et, je dois le dire, charmante demoiselle. Deux jeunes gens, la nuque rasée, une raie dans les cheveux, s'occupaient des enregistrements et de la comptabilité. Dès le premier regard je les trouvai très insolents. J'attendis en vain d'apercevoir le Chameau, la démarche ondulante, arpenter les couloirs. D'autres huissiers inconnus entraient et sortaient en hâte.

« Tu vois, me dis-je, comme les choses ont changé, la vieille garde est partie, tu ne connais plus personne. » Ce qui revenait à dire : « Tu es un étranger, un intrus. » C'était comme si le dernier fil me rattachant à mon service était coupé.

Je m'engageai dans le long couloir, qui ce jour-là me parut sans fin, et sortis dans l'avenue de la Reine-Sophie. En passant devant le fleuriste je jetai un coup d'œil.

Je vis Mìtsos, qui me fit signe, comme pour me dire une chose que les autres ne devaient pas entendre.

« Comment vas-tu, Mìtsos ? lui dis-je, que deviens-tu ? »

160

« Mes respects, monsieur le Président, ça fait une paye. »

Ici, au moins, devant la petite boutique en pleine rue, j'avais quelqu'un à qui parler.

« J'ai pris ma retraite », lui dis-je.

« Je sais. »

Il savait tout, celui-là. Son regard m'examinait avec soin et sa tête, à présent toute blanche, penchait d'un côté comme s'il était prêt à me cligner de l'œil. À deux pas du Soldat inconnu, j'avais trouvé un soldat connu.

« Tout le monde va bien, ta femme, tes enfants ? »

« L'aîné est plombier, dit-il, il s'est mis à son compte. Le petit, je ne sais pas quoi en faire. Il dit qu'il veut faire du droit », et il me lança un regard interrogateur. « Qu'en pensez-vous ? »

« Et pourquoi pas ? dis-je. Il ne serait pas le premier. Il travaille bien à l'école ? »

« C'est un crack. Vous savez ce qu'il m'a dit l'autre jour ? Moi, Papa, je deviendrai juge. »

Je souris sans rien dire.

« Le fils d'un fleuriste peut-il devenir juge ? reprit-il. Voilà ce qui me tracasse. »

« Mais bien sûr, s'il le veut vraiment. De même que le fils d'un juge peut devenir fleuriste. »

« Je peux vous l'envoyer un de ces jours, que vous discutiez avec lui ? » demanda-t-il en arrangeant des chrysanthèmes.

« Pourquoi pas ? » Et je sortis une carte que je lui tendis.

« Formidable », dit-il. Et, changeant de ton : « Choisissez, monsieur le Président, j'ai de beaux chrysanthèmes, sauf si vous préférez les œillets, j'ai des œillets blancs superbes. »

Mon œil s'était fixé sur un bouquet d'œillets rouges, très rouges. Il s'en aperçut. Il hocha la tête. Une accablante nostalgie, un instant, semblait s'être emparée de lui. Peut-être, qui sait, se rappelait-il des temps anciens, ce jour où tout valsait autour de nous, où nous devions crier pour nous entendre.

Je lui pris une violette et, malgré ses protestations, payai le prix d'un bouquet entier.

« Et envoie-moi ton fils à la première occasion », lui dis-je en partant.

Au monument du Soldat inconnu je m'arrêtai un instant pour voir la relève de la garde. La bise decendait du mont Pàrnitha, sifflant et soulevant un nuage de poussière sur la place presque déserte. Emmitouflés dans leurs manteaux, les passants se hâtaient, le col relevé. Il y avait du froid partout. Un vide au cœur de la ville.

Au coin des rues Òthonos et Amalìas, un groupe de passants s'étaient arrêtés, les yeux levés vers le troisième immeuble de la rue Òthonos, et chuchotaient entre eux. Je levai les yeux moi aussi. Sur une grosse pendule où l'on pouvait lire l'heure de loin, les aiguilles étaient arrêtées, l'une sur le onze et l'autre sur le quatre. « Un et un et quatre », chuchota un jeune homme en blouson de cuir – c'était la grande mode chez les jeunes – à un ami vêtu de la même façon. Ils rirent, l'air satisfait, puis, se retournant, me lancèrent un coup d'œil soupçonneux, échangèrent deux mots et s'éloignèrent en vitesse. Je m'en allai aussi.

Je rentrai directement chez moi et Sofìa, nouée de rhumatismes, me prépara à manger. Je dînai légèrement, fumai une cigarette et me retirai dans ma bibliothèque. J'ouvris les poèmes de Sappho et me plongeai dans ma lecture. C'était juste l'époque où j'éprouvais mes forces en traduisant quelques vers, ayant moi-même abandonné depuis longtemps mon activité de poète. Mon œil tomba sur un poème que j'aimais tout spécialement :

« Κατθναίακει, Κυβέρη᾽ ἄβρος Ἄδωνις. τί κε θει-

μεν ; Καττύπτεσθε, κόραι, καί κατερείκεσθε χίτω-
νας ».

J'en avais fait une vague traduction. Quelque chose
comme :

« *Il rend l'âme, Aphrodite, le bel Adonis,*
que faire ? – Frappez-vous la poitrine, mes filles,
et déchirez vos tuniques. »

La violette de Mitsos était devant moi, toute seule
dans un petit vase.

25

Et j'en arrive à l'épilogue.

Plusieurs mois avaient passé. Nous étions en mille
neuf cent soixante-huit, quand une affaire me rappela
au Conseil d'État. Cette fois je n'y allais pas à titre
privé. J'étais convoqué par le président ; non pas
l'ancien aux lunettes à double foyer, mais un autre, lui
aussi portant lunettes, avec qui j'avais travaillé autrefois. « J'ai besoin de tes lumières, me dit-il au téléphone, il s'agit d'une affaire sérieuse, je t'attends. »

Je pensai qu'il s'agissait peut-être d'une faveur, car
souvent les faveurs, les petits services prennent la
forme de consultations juridiques, mais je me disais :
« Tant pis, cela ne fait rien ; puisqu'ils ont encore
besoin de moi, c'est que je vaux encore quelque
chose. » Car je dois te le dire, même si je voyais la
camarde se profiler à l'horizon, je me sentais encore en
pleine vigueur, intellectuellement surtout, et pas du
tout inutile. Les livres que je lisais, les études que je
prévoyais de publier dans des revues, suffisaient à
remplir mon temps et me combler l'esprit. C'est ainsi

que j'allai m'occuper de cette affaire, et voir, par la même occasion, mes anciens collègues.

« Sais-tu, me dit le président après les banalités d'usage, que beaucoup d'officiers mis à la retraite au cours des premiers mois de soixante-sept, après la "révolution", ont eu recours à nous pour demander leur réintégration ? L'argument qu'ils avancent est que leur mise à la retraite est illégale. »

« J'en ai entendu parler, dis-je, mais en quoi puis-je donc être utile ? »

« Toi, dit-il, l'air assuré, tu es considéré comme le grand spécialiste en questions militaires ; tu es celui qui connaît le mieux leur mentalité ; tu peux nous aider à trouver une solution. Jusqu'à présent nous avons ajourné trois fois, pour essayer de gagner du temps. »

« Sous quel motif ? »

« Nous avons renvoyé l'affaire en séance plénière "en raison de son importance". Mais le problème n'est pas là, et il baissa la voix, ils font pression sur nous pour que nous rejetions ces recours et prenions une décision à leur convenance, tu comprends ? Toi qui sais ce qu'ils ont dans la tête, j'aimerais beaucoup que tu me dises, que tu m'analyses la façon de penser de ces gens-là. »

« Leur pensée ? La "révolution nationale", dis-je. Qu'attends-tu d'autre ? »

Et la discussion se poursuivit encore assez long-temps sur ce ton. J'étais attristé de voir des personnages aussi influents que cet homme accepter d'envisager des compromis. Cela dit, j'ignore ce que moi-même j'aurais fait, si je m'étais trouvé à leur place.

J'avais à peine eu le temps d'en terminer avec le président et d'échanger quelques paroles anodines avec les anciens, quand je vis s'approcher le jeune rapporteur. Son visage était tendu, ses yeux brillaient d'excitation.

« Venez, je vous attends, me dit-il d'un ton singulier, c'est le moment », et il me montra le fond du couloir.

Je ne comprenais pas et lui demandai de m'expliquer.

« Ce type dont je vous parlais, me souffla-t-il, qui s'invente des affaires chez nous... Il est là... » Et, faisant quelques pas, il me montra la porte du greffe. « Moi, malheureusement, dit-il, je ne peux vous accompagner : s'il me voit, il pensera que je suis son rapporteur – cela lui arrive souvent. Il vaudrait mieux que vous alliez seul, vous qui lui êtes inconnu, avant qu'il s'en aille ; cela vaut la peine, je vous assure », et, avec un petit rire, il se glissa dans son bureau.

Je m'approchai de la porte du greffe.

Je vis, penché au-dessus de la jeune fille qui tenait le registre, un homme entre deux âges aux épaules tombantes, presque bossu. Face au bureau il semblait en équilibre, comme si d'un moment à l'autre il allait tomber d'une hauteur inaccessible au fond de la fosse des gratte-papier. Il était vêtu, conformément aux descriptions, d'une gabardine fort longue, lui battant presque les talons, couleur de rouille, comme celles que portaient autrefois les militaires en campagne, larges revers, col usé, sans galons sur les épaulettes. Ses cheveux étaient longs, eux aussi. On eût dit que cet homme, en dépit de son âge et de son allure désuète, suivait la mode des jeunes. C'était l'époque où nombre d'entre eux refusaient de se faire couper les cheveux – malgré les injonctions des parents et des professeurs.

L'homme qu'on m'avait indiqué ne semblait pas avoir le moindre sens du réel. Il demandait d'une voix monotone la copie d'une certaine décision, invoquant

165

une précédente annulation dont il aurait bénéficié. La jeune fille du greffe, pourtant débordée, montrait à son égard une patience étonnante, comme s'il s'agissait d'un vieux client auquel on s'était habitué, une espèce de mendiant, de ceux qui apparaissent à Noël et à Pâques, et auxquels on donne, par compassion, quelques sous.

Je m'avançai encore un peu.

« Oui, monsieur, bien sûr, monsieur, disait la jeune fille, patientez encore un peu – vous savez ce que c'est. »

Son regard trahissait sa lassitude, mais elle prenait son mal en patience ; il finirait bien par s'en aller. Et peut-être qu'au fond d'elle-même cette situation l'amusait. Elle se trouvait à l'âge où les comportements des gens d'un certain âge nous amusent. Elle me lança même un regard qui semblait dire : « Cela ne fait rien, laissez-le, au fond il n'est pas méchant ». Aux bureaux voisins, les jeunes gens à la nuque rasée ricanaient ouvertement.

Ce matin-là – un matin de printemps éblouissant, si désagréable pour tous ceux qui avaient des raisons d'être tristes –, l'homme à la gabardine, défraîchi et voûté, semblait spécialement envahissant.

« Je vous le dis, ma requête doit bien se trouver quelque part, elle ne peut pas s'être perdue. »

Le ton de sa voix, bien qu'insistant, était profondément calme. On eût dit une ancienne gifle éventée qui serait devenue caresse.

« C'est entendu, nous nous en occuperons, lui dit la jeune fille, repassez dans quelque temps, et ne vous inquiétez pas. »

« En tous cas, je suis certain... » reprit-il, et il se retourna comme pour prendre quelqu'un à témoin.

J'étais arrivé tout près.

« Monsieur est peut-être au courant », dit-il en me montrant, et il se tourna vers moi.

Je faillis tomber à la renverse. C'était lui – un fantôme – il n'y avait pas le moindre doute. Malgré sa tête blanchie, les rides sillonnant son visage et son étrange accoutrement, c'était le même homme. Le beau Capitaine.

Il dut me reconnaître lui aussi.

« Monsieur le Conseiller peut vous le certifier », dit-il à la jeune fille.

Et il s'approcha de moi.

Je dois te dire que je pris peur. Cet homme avait l'air complètement fou. La façon dont il m'aborda me fit revivre la première de nos rencontres. C'était de cette même façon qu'il m'avait convaincu sans bruit, très doux, mais sûr de lui, de le suivre au greffe. Et c'est ainsi qu'il marchait maintenant vers moi. Comme si tout s'était passé la veille. Alors, soudain, dans une terrible contraction du temps, une seconde, je revécus scène par scène toute l'histoire. J'avais de nouveau devant moi la silhouette du Sénateur en perruque grise fixant sur moi un regard vengeur, et j'entendais les tampons des gratte-papier dégringoler dans le vide. Un gazouillis d'oiseaux enivrant arrivait par la fenêtre.

J'étais foudroyé.

« Comment allez-vous ? me dit l'homme à la gabardine, je suis enchanté de vous voir, monsieur le Conseiller. Vous arrivez à point nommé. Ces gens-là, et il montra le registre, font entrave à la justice ; ils ne veulent pas retrouver ma requête. »

« Vous avez déposé une requête ? » demandai-je, désorienté, en le vouvoyant comme au début.

« Bien sûr, fit-il d'un ton de reproche, vous le savez bien, pourquoi demandez-vous ? »

Je fis signe à la jeune fille de ne rien dire, et après

une hésitation, pris par le bras cet homme dans l'intention de l'éloigner.

« D'accord, lui dis-je, vous avez raison, naturellement. Mais nous allons trouver ce qui cloche. Une petite formalité oubliée... Peut-être manque-t-il une des cautions ? »

Je vis son visage s'éclairer ; alors, l'entraînant par le bras, je l'emmenai dans le couloir. Il me suivit, docile comme un agneau.

« Je suis enchanté de vous voir, monsieur le Conseiller, répéta-t-il, vous nous avez beaucoup manqué. »

Bien que changé, c'était encore lui. Il semblait s'inquiéter pour moi, me voyant hésitant et gêné ; il avait provisoirement oublié le sujet de ses préoccupations.

« Dis donc, lançai-je en le tutoyant cette fois, si nous sortions prendre l'air ? Il fait un temps superbe. »

Il me suivit en traînant les pieds ; de ses chaussures il ne restait que les semelles, changées je ne sais combien de fois. Et Dieu sait quel spectacle nous offrions, car en cet instant je sentais beaucoup d'yeux fixés sur nous. Moi dans mon costume bleu foncé, rasé de frais, chapeau impeccable, bras dessus bras dessous avec un type mal rasé, sans âge, aux allures de mendiant – de mendiant bien élevé, il est vrai. Ces regards nous suivirent jusqu'à la sortie et je les supportai, comme j'avais supporté cette affaire pendant tant d'années.

« Où en es-tu, lui demandai-je, que fais-tu ? Tes parents sont-ils vivants, vas-tu les voir ? »

« Ils vont très bien, dit-il d'un ton insouciant, mais je vais rarement en Locride. Je me suis habitué à Athènes. D'ailleurs, mes occupations m'imposent de ne pas trop m'éloigner. »

« Que fais-tu maintenant ? » demandai-je.

« Beaucoup de choses, dit-il avec un sourire ambigu.

Mais ce qui m'occupe le plus, c'est cette affaire de refus d'avancement. »

Il avait même effacé l'événement de son renvoi de l'Armée. Il en était resté au stade antérieur.

Nous fîmes quelques pas ensemble.

Devant les fleuristes il s'arrêta pour regarder un vase de lis. Son regard totalement vitreux, comme hypnotisé, se trouvait maintenant fixé sur cette fleur d'un blanc immaculé. Elle semblait lui rappeler quelque chose, en rapport avec sa jeunesse. Le fantôme d'Adonis en arrêt devant l'image d'Aphrodite.

« Vous avez vu comme elles sont blanches ? » me dit-il, l'air absent.

Je me sentais affreusement gêné, car au même instant le fleuriste – heureusement ce n'était pas Mìtsos – nous regardait d'un drôle d'air, mais je ne voulais pas intervenir en dissipant cette vision qu'il avait payée si cher. Un peu de la sympathie, de l'amitié ancienne était revenu – provisoirement – se nicher en moi, à côté de cet insupportable sentiment de pitié que je ressentais pour cet homme.

« Tu vas à la caserne ? » lui demandai-je tandis que nous repartions. « Tu vois tes collègues ? Et Kakoulàkos, que devient-il ? »

Je fus surpris de me rappeler ce nom, après tant d'années. Le nom du Capitaine, lui, je l'avais oublié.

« Bien sûr que j'y vais, dit-il. La plupart des anciens n'y sont plus. Kakoulàkos est maintenant colonel. »

Cette phrase, telle qu'il la prononça sur la place Sỳntagma, devant le monument au Soldat inconnu, avait une résonance étrange. Je fis un geste machinal, comme si je craignais que quelqu'un nous entende.

Il semblait avoir ressenti la même chose. Il hocha la tête. « Vous avez vu, monsieur le Conseiller, cela ne leur suffit pas de bloquer ma carrière. Maintenant ils bloquent tout le monde. Même les civils, même les enfants. »

Je l'écoutai sans un mot. C'étaient les seules paroles raisonnables qu'il ait dites ce jour-là. Je n'osai pas regarder derrière moi. En fin de compte, pensai-je, j'avais un militaire avec moi, qui aurait pu être colonel à présent lui aussi.

À ce moment-là, au tournant de la rue Amalias, une fanfare apparut, soufflant dans ses cuivres. Puis on vit la garde suivie par un officiel en haut-de-forme. La fanfare s'arrêta et l'officiel, portant une couronne, s'en vint la déposer aux pieds du Soldat inconnu.

Les passants, au lieu de s'arrêter pour voir, hâtaient le pas. Nous étions les seuls à rester.

Bientôt la fanfare se tut. L'officiel monta dans une voiture qui attendait, et l'air sembla soudain plus pur. Des petits enfants revinrent nourrir les pigeons, des passants s'arrêtèrent un instant.

Tout le temps qu'avait duré la scène, le Capitaine était resté au garde-à-vous, sans que bouge un seul muscle de son visage. Je le poussai un peu du coude pour l'arracher à sa fixité de statue et nous avançâmes, traversant la rue, vers l'intérieur de la place.

« Où vas-tu ? » lui demandai-je.

Il me fit un vague geste qui pouvait signifier partout comme nulle part.

« Moi, je vais prendre un taxi, lui dis-je, veux-tu qu'on te dépose quelque part ? »

« Non, répondit-il, je vais marcher. Tout militaire se doit de marcher plusieurs kilomètres, c'est dans le programme, cela aussi. »

« Eh bien, je vais m'en aller », dis-je, et je me préparai à prendre congé pour la dernière fois de l'homme qui avait joué un rôle si étrange dans ma vie.

« Voilà, il était écrit que nous nous reverrions, dis-je en préambule à la scène des adieux, et cette fois-ci tous

Le beau Capitaine

les deux à la retraite. » Je faillis ajouter : « C'est la vie », mais je jugeai la formule mélodramatique et pas du tout accordée à mes sentiments.

« Moi, je ne suis pas à la retraite », dit-il avec un léger sursaut qui me rappela soudain l'ancien Capitaine. « Du moins tant que mon affaire n'est pas jugée », et ses yeux restaient obstinément fixés sur je ne sais quel point de l'horizon.

« Bien sûr, tentai-je de lui dire, je me suis trompé, toi tu es plus jeune, tu as l'avenir devant toi. »

Alors, soudain – nous étions au bord du trottoir, sur la place – il se pencha en avant, comme s'il voulait tomber, disparaître sous les roues de la première voiture venue. Si je ne l'avais pas retenu par le bras, il s'écrasait droit devant lui.

Il ne s'était rendu compte de rien.

« Tu ne te sens pas bien ? lui demandai-je d'une voix qui tremblait encore, puis-je faire quelque chose pour toi ? »

« Vous savez bien », dit-il, l'air impénétrable.

Et comme je le regardais sans comprendre :

« Soutenez ma requête, soyez son rapporteur ; vous êtes le seul à savoir, vous êtes un vieux de la vieille vous aussi, comme moi. »

Et il sourit tristement.

« Je m'en occuperai, lui dis-je, sois tranquille. »

Et je le repris par le bras.

« Seulement, lui dis-je avec douceur, laisse-moi te raccompagner en taxi, toutes ces démarches sont fatigantes ; n'oublie pas, nous ne sommes plus si jeunes, toi et moi. »

« Non », approuva-t-il comme un enfant, hochant la tête comme un vieillard.

Nous fîmes quelques pas à la recherche d'un taxi. Je le vis de nouveau s'arrêter, comme saisi par une nouvelle idée.

171

« J'irai seul, dit-il, j'ai pris l'habitude. »

« Comme tu voudras », répondis-je.

Une ultime pensée me traversa l'esprit. Cet homme n'avait sans doute pas de quoi se payer le taxi, ni même un paquet de cigarettes.

Je l'interrogeai de façon voilée, le plus discrètement possible.

Il évita de répondre, il détourna la tête. Visiblement la question le mettait au supplice.

« Bon, lui dis-je en mettant la main dans ma poche, je sais dans quelles conditions tu vis à l'armée, et de plus j'imagine qu'à présent ils doivent même retenir ta solde. »

Et détachant d'une liasse un billet, je tentai de le glisser dans sa main.

Il eut un geste vif comme s'il avait reçu de l'eau bouillante – le seul geste vif que je le vis faire ce jour-là – et s'écartant violemment du billet, il releva son col.

Je n'eus même pas le temps de le saluer.

Je le vis s'éloigner dans la foule, avec un air hautain, une assurance qu'il avait sans doute puisée dans son refus d'accepter mon offre. Soudain, il n'était plus voûté, j'avais de nouveau devant moi la stature familière, les trois étoiles aux épaulettes, je distinguais même l'insigne sur son képi. Je le vis disparaître dans la même lumière qu'avant, dans l'apothéose de son éclat retrouvé.

C'était mon Capitaine. Le beau Capitaine.

Le vieil homme, ayant terminé son récit, laissa retomber ses mains.

Je tenais dans les miennes le petit portrait un peu

maladroit au fusain, comme si j'essayais d'épuiser jusqu'au moindre détail de cette histoire.

« L'avez-vous revu depuis ? demandai-je, avez-vous eu de ses nouvelles ? Est-il vivant ? Dans quel état ? »

« Quelle heure est-il donc ? » fit-il en guise de réponse, et il se leva péniblement. « Vois-tu, je suis seul maintenant. »

Sofia n'était plus là, morte peut-être, ou simplement partie. Ses livres baignaient dans le silence et ses papiers semblaient un tas de cendres.

« Quelqu'un d'autre connaît-il cette histoire ? L'avez-vous racontée ailleurs ? » et je sortis une cigarette.

Il me fit signe que la fumée le gênait.

« Et pourquoi l'aurais-je racontée ? » dit-il, agacé.

« Alors pourquoi m'avoir choisi ? » poursuivis-je.

Son regard s'arrêta un instant sur moi, puis alla se fixer sur le dessin.

« Sottises ! » dit-il en plissant les lèvres, et traversant la pièce d'un pas chancelant il s'arrêta près de la porte. Visiblement il avait hâte d'être seul.

Je traversai la pièce moi aussi, m'efforçant d'étouffer le bruit de mes talons. Le plancher, mangé aux vers, grinçait. Tout, chez lui, avait l'air insupportablement vieux. En fin de compte, le fait que je sois venu lui demander des conseils n'impliquait pas que je les suive. Ses opinions étaient bien connues. J'avais déjà eu affaire à elles autrefois. Quant à l'histoire de cet autre Capitaine, elle appartenait, si passionnante fût-elle, au passé. L'Assemblée fonctionnait et nous avions des hommes politiques à nouveau. Les années 80, déjà, pointaient à l'horizon. J'étais plein d'espoirs et de projets. J'avais souffert, il est vrai, mais mon affaire était en très bonne voie. J'allais bientôt reprendre le service actif – avec le grade de Commandant.

J'enfonçai mon képi et me mis au garde-à-vous pour saluer mon hôte.

« Je vous remercie beaucoup, dis-je, tout ce que j'ai entendu m'a été très utile. »

Il me jeta un coup d'œil ironique.

« Pour toi, dit-il lentement, tout cela n'a pas la moindre importance. »

J'allais parler, mais il m'interrompit.

« Téléphone-moi quand ton affaire sera jugée. Au besoin j'en parlerai à un collègue, on verra ce qu'on peut faire... »

Il me parlait comme il eût parlé des années auparavant.

Et tandis que je me tournais vers le miroir pour enfiler mon manteau et m'ajuster :

« Cet uniforme te va très bien. J'espère, dit-il avec une lueur dans les yeux, que tu le garderas jusqu'au bout. »

Je le vis depuis la rue. Il s'était mis à sa fenêtre assombrie par d'épais rideaux. Ce n'était plus qu'une vieille chose, un fantôme qui ne me concernait pas. Et d'ailleurs, visiblement, ce n'était pas moi qu'il regardait.

Je m'éloignai à grands pas, en faisant claquer mes talons.

1979-1982

Achevé d'imprimer en octobre 1993
sur les presses de l'Imprimerie Bussière
à Saint-Amand (Cher)

N° d'impression : 2072.
Dépôt légal : novembre 1993.

Imprimé en France